OUR MALADY

LESSONS IN LIBERTY
FROM A HOSPITAL DIARY

ティモシー・スナイダー　池田年穂 訳

アメリカの病

パンデミックが暴く自由と連帯の危機

慶應義塾大学出版会

わたしたちは、今は、鏡に映して見るようにおぼろげに見ている。しかしその時には、顔と顔とを合わせて、見るであろう。わたしの知るところは、今は一部分にすぎない。しかしその時には、わたしが完全に知られているように、完全に知るであろう。

――コリント人への第一の手紙　一三章一二

目次

凡例

1　本書はティモシー・スナイダー氏の緊急出版（二〇二〇年九月八日刊行）*Our Malady: Lessons in Liberty from A Hospital Diary* の全訳です。副題はアメリカ版、イギリス版でそれぞれ異なります。

2　本書中の新型コロナウイルスなどについてのデータは、原著の執筆時点のものですが、本書ではそのまま訳してあります。たとえば、アメリカでの COVID-19 による死者数について一五万人を超えたとしていますが（本書一四頁、七六頁、九三頁）、超えたのは、第3章原註14にも現れますが引用されることのきわめて多い次のソースによれば七月二八日です。https://coronavirus.jhu.edu/map.html（COVID-19 Dashboard by the Center for Systems Science and Engineering (CSSE) at Johns Hopkins University）。国際社会での比較でも最大規模のパンデミックです。

3　原註については、近年のスナイダー氏の原註の付し方は日本の読者にはなじみのないものであるので、わが国での伝統的なやり方に変更しました。ただし、原註の実質的な内容については、一切改変をしてありません。

4　本文中の訳註については、短いものは〔　〕に収めて文中に、また長めのものは†1から†7までとして、各章末に掲げました。

プロローグ　孤独と連帯

真夜中に救命救急室（ER）に入れられた時、私は医師に自分の状態を説明するのに「倦怠感《マレイズ》」という言葉を使った。頭が痛く、両手両足がずきずき痛むうえに咳がひどく、動くこともままならなかった。そしてときおり体じゅうを震えが走った。二〇一九年一二月二九日に入ったところだったが、その日が私の人生の最後の日になってもおかしくなかったのだ。肝臓に野球のボール大の膿瘍ができ、その原因菌が血液に流れ込んでいた。その時点でそこまでわかっていたわけではないが、何か大変なことが起きていたのはわかった。「倦怠感《マレイズ》」とはもちろん衰弱と疲労感とを意味する語だ。体のどこも機能せず、手の打ちようもないという感じだった。

倦怠感《マレイズ》は私たちが病《マラディ》に罹患した時感じるものだ。マレイズ（malaise）とマラディ（malady）はフランス語とラテン語起源の旧い単語で、英語では数百年にわたって使われている。どちらも、アメリカの独立革命の時代には、「病」と「暴政」の両方の意味で使われた。ボストン虐殺事件のあと、著名なボストン市民たちからの書簡は「英国の、そしてマサチューセッツ植民地の暴政《マラディ》」を終わらせることを求めていた。[*1] 建国の父たちは、自分たちの健康面ばかりでなく、彼らが創建した共和国を語る際にも倦怠感《マレイズ》と病《マラディ》という言葉を使ったものだ。

この本は、病《マラディ》について、と言っても私自身の病《マラディ》ではなく、今のアメリカ全体を覆う病《マラディ》について記している――ただし、私自身の病によって気づかされたところが大なのだが。ジェームズ・マディソンの言葉を借りれば「私たちの公的な病《パブリック・マラディ》」となる。[*2] 私たちの病《マラディ》とは、肉体的な病気のみならず、それを取りまく政治的な悪《イーヴル》をも意味している。私たちは自由を失いかねない病気にかかっているし、健康を損ないかねない不自由さに晒されている。私たちの政治は、呪わしい痛みの点では手に負えぬほど過剰なくせに、自由であることの恩恵の点ではどうしようもなく不足しているのだ。

昨年の年の瀬に病に倒れた時、私は「自由」について考えていた。私は歴史家として、この二〇年間というもの、民族浄化やナチスのホロコースト、ソヴィエトのテロルといった二〇世紀に起きた残虐行為について記してきた。このところ私は、「歴史」を知ることがどのようにして現在の暴政を防ぎ、将来の自由を担保するかについて、考察をし、発表してきた。倒れる前のことだが、ミュンヘンで最後に聴衆の前に立った際にも、どうしたらアメリカが自由な国になれるかについての講演をしていたのだ。[*3] その晩は痛みに襲われていたが、なんとか講演をこなしてから病院に向かった。それから起きたことが、自由について、アメリカについて、私がさらに深く考えるうえで役に立ってくれたのだ。

二〇一九年一二月三日にミュンヘンで講演していた時、私は虫垂炎を患っていた。ドイツの医師たちはそれを見逃した。虫垂が破裂して肝臓が菌に感染してしまったのだが、そうなっても今度はアメリカの医師たちがやはり見逃してしまった。こうした経緯があって、相変わらず自由について考えていた私は、一二月二九日に血液中で細菌が繁殖している状態でコネティカット州ニューヘイヴンの救命救急室に収容されたのだ。二〇一九年一二月から二〇二〇年三月にかけて、三ヶ月間で五つの病院を転々としながら、私はメモを取りスケッチをした。自分の意志では体を動かせず、体に袋やチューブを繋がれた状態にあっては、自由と健康が密接にかかわっていることを悟るのは容易だった。

生理食塩水や薬用アルコールや血液で汚れている、病院で私が記した日記の頁を眺めると、年末の三日間から始まるニューヘイヴンでの入院のあいだに記された箇所には、死に瀕した私を救うことになった強い感情が記されている。激しい怒りと穏やかな共感《エンパシー》が何とか私を持ちこたえさせ、自由について新たな考察を加えるよう促してくれたのだ。ニューヘイヴンで記した最初の四語は「ただ怒り孤独な怒り」(only rage lonely rage) だった。命に関わる病状で味わったこの時の怒りより混じりけがなく強烈な感情を味わったのは、今に至るまで他にない。それが入院の夜を耐える私を支え、かつて経験したことのない類いの闇を照らす灯《ともしび》となってくれたのだ。

一二月二九日、救急救命室に収容されてから一七時間後に、私は肝臓の手術を受けた。一二月三〇日早朝、両腕と胸部にチューブを挿入されたまま病院のベッドに横たわっていた時、私は拳を握りしめることはできなかったが、そうする自分を想像していた。前腕部を使ってベッドの上に起き上がることも不可能だったが、そうする自分を思い描いていた。つまり私は、病棟で横たわる、病んだ複数の臓器を抱え、血液中に菌が侵入している、なんということのない患者の一人に過ぎなかったが、自分ではそうは感じていなかったのだ。寝たきりで、怒りを覚えている私《ミー》を感じていたのだ。

その怒りは、何かに汚されることのないこの上なく純粋なものだった。私は神に怒りを覚えなかった。これは神の咎《とが》ではなかったからだ。不完全な世界の不完全な人間である医師や看護師たちにも怒りは感じなかった。くしゃくしゃになったシーツやチューブでいっぱいの私の病室の外を自由に歩きまわる歩行者や、ドアをばたんと閉める配達業者、警笛を鳴らすトラック運転手にも怒りは覚えなかった。私の血液中をわが物顔をして流れている細菌にも怒りの感情は抱かなかった。私の怒りは何ものにも向けられていなかったのだ。私が怒っていたのは、「私が存在しない世界」に向けてであった。「われ怒る、ゆえにわれあり」だった。そしてその怒りは、光を投げかけて私という人間の輪郭を露わにしてくれた。かなり曖昧な表現だが、私はこう日記に記したものだ。「隠者の姿はユニークなものだ」。私の神経細胞《ニューロン》は動きを取り戻しつつあった。翌日、つまり一二月三一日には、私の頭脳は敗血症からも鎮静剤の効果からも立ち直り始めた。一度に数秒より長く考えることができるようになったが、最初に思い巡らせたのは、自分の唯一性《ユニークネス》ということだった。私がしたのとまるで同じ選択をして、私と同じような人生を歩んだ者はいなかった。私とまるで同じ感情を抱きつつ、この大晦日にまったく変わらぬ窮状に陥っている者もいなかった。

私は、この怒りこそがベッドから自分を解放し、新しい年を迎えさせてくれることを願った。心の眼で、自分の遺体と、それが腐敗していくのを眺めた。腐敗の予測が可能なのは恐ろしいことには違いないが、それは生きとし生ける者すべてにとっての宿命だ。私が欲したのは予測が不可能であるものだった——私自身の予測不可能性であり、他者の予測不可能性と私自身が直《じか》に接触することだった。

数日にわたって、夜には、怒りがイコール私の生命だった。おかげで「ここ」があったし、「今」があったのだ。私は「ここ」が、「今」が、もっと続くことを望んでいた。ベッドに横たわりながら、私は数週間の時間が欲しかったのだ。そして、その後にまたさらに数週間の時間が欲しくなった。その時間というのは、自分の体がどうなるのかも、自分の精神がどう活動するかもわからないながら、それでも感じたり考えたりしている人物が私《ミー》であると明白に感じられる時間のことだった。死は、私にとって物事がどのようになりうるか、またどのようにあるべきかについての感覚を、つまりは可能性と美意識の感覚を消し去ってしまうことだろう。日記に記したように、私はその無、「その特定の無」に対して怒りを覚えたのだ。

その怒りが湧き上がるのはいっときにほんの数分間だったが、光ばかりでなく温《ぬく》もりももたらしてくれた。入院中、私は熱があったのにいつも寒気を覚えていた。大晦日の夜のベッドのなかで、私は陽が昇って部屋に射し込んで欲しいと願った。肌で日光を感じたかったのだ。三日間も震えて過ごした後で、胸や腕につながれたチューブにまつわりつく薄いシーツから逃げる体温より、もっと多くの温もりが欲しかったのだ。厚いガラス窓をとおして部屋に射し込むニューイングランドの冬の日の出では充分ではなかった——私は陽の光という象徴と切望のなかで生きていたのだ。

私は心の中の灯《ともしび》が孤独な光であって欲しくないと思った。そして、実際にそうではなかったのだ。人びとが私を訪ねて来た。妻がブラインドを巻き上げると、青白い光に包まれた新年が訪れた。見舞い客たちが来始めた時、いざ彼らがベッドの脇に立って無力なまま横たわる私にどう反応するかを考えてみたりした——見当がつかなかった。見舞いに来てくれた古い友人のなかには、「見舞い客の多い患者はより良い治療を受けられる」と考えている者たちがいることを思い出した。本当に彼らの考えているとおりだった。健康とは共にいること——見舞いだけでなく、他に一〇〇通りもの方法があるが、共にいることなのだ。

見舞いがあると、私たちが孤独になるのに役に立つのだ。連帯するなかで一緒にいることは、安らかな孤独に戻ることを可能にしてくれる。顔を見せてくれただけで、友人たちは思い出を、過去にさかのぼるさまざまな交友関係を蘇らせてくれたものだ。友人の一人が、見舞いを受けるべき理由について（私と同じ）実際的な見方をした時のことも思い出された。何年も前のことだったし、その時には私の側が見舞客だった。彼女は妊娠中に病に倒れ私が臥せっている病院に入っていたのだ。私は彼女の子どもたち、次いで私の子どもたちについて考えた。そこに別の雰囲気が醸しだされてきた。そう、穏やかな共感《エンパシー》という雰囲気が。

私が体験した怒りはまじりけのない私《ミー》そのものだった——反響でなく音源でありたいという願い、

心を千々に乱すのでなく安らぎを得たいという願い。その怒りの向かう先は、他でもない。宇宙のすべてだったし、非生命世界を律する宇宙の法則だった。それだけだったのだ。一夜か二夜のことだが、私は自分の発する光、怒りからくる光で輝いていられたのだ。

　けれど、ゆっくりと、そして穏やかに、次の心の状態がやってきて、私を別の方法で支えてくれるようになった。その状態とは、人生はそれが自分だけのものでない時においてのみ真の人生であるのだ、という感覚だった。怒りと同じように、その心の状態になったのは、私が一人取り残された時だった――自分では何もできず、体を動かすという感覚がどれも頭の中の幻影から生じていた時だった。その心の状態のなかで、私は他の人びとと一緒に、一団となって時間のなかを転がってゆくように感じた。その心の状態を日記に書こうとした時、浮遊した平らでない乗り物を思い浮かべた。その乗り物に少しでも似ているものを探せば、筏《いかだ》だったかもしれない。

　筏は時間をかければ、雑多なものから作り上げることができる。私は、他の人びととともに筏の一部になり、同じ水のなかを浮かんで押し合いへし合いしながら進んでいた――あるときは滑らかに、ときには岩にぶつかりながらだったが。もし私の厚板が水中に沈んでしまえば、筏は進路を失うか、転覆してしまっただろう。いくつかの厚板は私の厚板から遠く、いくつかは近くにあった。私は、子どもたちの人生が私自身の人生と結びついていることを己に言って聞かせた。重要だったのは私が紛れもなく私《ミー》であったことではなく、私が彼らのものだったことだ。私は彼らの父親だった。彼らの存在のすべてが、私がこの世に永らえることを前提にしていた。それまで、彼らが私にじかに触れていなかったというわけではけっしてない。彼らの厚板はつねに私の厚板に括りつけられていたのだから。私は、自分がいなくなったら何がどのように変わるかについて思いを巡らせた。親が頭の中のカレンダーに記す日常のさまざまなこと。サッカーの練習、数学の宿題、音読……。私がいなくなった後の息子や娘を思い描くのは、二人と一緒だったそれまでの生活と同じく現実的なのだと、苦痛をもって認識した。そして私が死んだあと、二人の未来がどうなるかを心の眼で見つめて、思わずたじろいでしまった。

私の人生が私だけのものではないという浮遊感のなかでのこの認識、この穏やかな共感《エンパシー》が私を死から救ってくれた。人生が人と分かち合うものだというこうした思いは、子どもたちの存在に始まり、続いて外に向かって広がって筏を作り上げるでこぼこした木材の寄せ集めに向けられた。私は自分が知っていて愛しているすべての人びととともに水を跳ね上げ、筏を操って前進していたが、もし私が水中に落ちれば皆が影響を受けることを意識していた。この心の状態のなかでは、私は怒りを覚えていたのではなく、皆ともに浮遊し、思いだし、黙想をし、共感を覚えていたのだ。

怒りは、私が自分を見つめ、体と心がショックのあとに違ったかたちをとることを助けてくれたし、共感《エンパシー》は私を他の人びとの仲間にしてくれた。こうした心の状態では、自分が特別だなどというのは重要ではなかった。私が他の人びとの心の中に、彼らの思い出や期待のなかにいること、彼らの人生をかたちづくる助けとなり、困難な移動では救命具《ブイ》の役割を果たすことこそ重要だったのだ。私の人生が私だけのものではないのだから、当然、私の死もまた私だけのものではなかった。そんな想いに辿り着いた時、ふたたび私は怒りを覚え始めた。こんなことがあってはならない、と。

その共感《エンパシー》は、怒りとはまったく別物ながら、手に手をたずさえて機能した。どちらの感覚も、私の中の大切な要素を、そう、真実を明らかにしてくれた。どちらか片方ではだめで、両方が必要だったのだ。私が回復するため、そして自由になるためには、たいまつも筏も、火も水も、孤独も連帯も必要だったのだ。そして私にあてはまることは、他の人びとにもあてはまるだろう……そう私は思っている。

序論　私たちの病《マラディ》

もし私が死んでいたなら、私の死はあまりにもありふれたもの——遺憾な統計数字に加わる一つの死で終わったことだろう。二〇二〇年が始まってわずか二、三ヶ月のあいだに、あまりにも多くのアメリカ人が必要もないのにこの世を去った。そして現在も、毎月毎月、どの瞬間にもあまりにも多くのアメリカ人が死に瀕している。私たちはこれまでよりずっと長い寿命を約束されていたのに、アメリカ国民の平均余命はこの五年間、これという変化要因もないのに横ばいになっている。[*1] ここ数年に至っては下降さえしているのだ。[†1]

この国での人間の誕生は、はなはだ恐ろしく、しかも不確かなものだ。妊娠中の女性への医療的なケアには、むらがあり過ぎるし、しかもはなはだ不充分なものだ。アフリカ系アメリカ人女性はしばしば出産の際に亡くなるし、赤ん坊が命を落とすことも多い。[*2] アフリカ系アメリカ人の新生児の死亡率は、アルバニア、カザフスタン、中国はもとより、他にも七〇ヶ国を上まわっている。アメリカは国家全体としてみても、ソヴィエト連邦崩壊後に最もソヴィエトらしさを残している国家のベラルーシや、ユーゴスラヴィア内戦の無様な申し子であるボスニアよりもうまくいっていないのだ。当然他にも四〇ヶ国ばかりに後《おく》れをとっている。青年期もその魅力を失っている。何かが変わらないかぎり、ミレニアル世代（一九八一年〜一九九七年に生まれた世代）は医療により多くの出費を強いられつつ、ゼネレーションX（一九六五年〜一九八〇年に生まれた世代）の両親やベビーブーマー世代（一九四六年〜一九六四年頃に生まれた世代）の祖父母より短命になるだろう。[*3] 壮年期も以前のようではなくなっている。中年の白人男性の驚くほどの数が、自殺をしたり、薬物摂取の結果として死んでいる。また南部では白人中年女性も、いよいよこれからが盛りという年齢でこの世を去ろうとしている。

個人保険や、民間病院の地域連携をはじめとする強大な利益関係者に支配されたアメリカの医療システムは、ますますナンバーズ賭博に似てきているように見える。われわれは、自分たちは医療を享受しており、それには付随的に富の移動を伴うと考えたがる。ところが、実際にわれわれの手の中にあるのは、付随的にいくらかの医療を伴う富の移動なのだ。[*4] 出産が安全に行われず、しかもその安全の度合いが人によって違うとしたら、何かが間違っている。青年期の者たちは医療のために絞り取られている金額が多いのに、彼らが上の世代より健康面で劣るとしたら、何かが間違っている。アメリカという国を信じてきた人びとが、自ら命を絶っているとしたら、やはり何かが間違っている。医療の目的は、短い人生しか送れない病気の人間から最大限の利益を吸い上げることではなく、長い人生を健康かつ自由に暮らせるようにすることにある。

私たちの病《マラディ》はアメリカ特有のものだ。私たちはヨーロッパの二三ヶ国の人びとより、そしてアジアの国々（日本、韓国、香港、シンガポール、イスラエル、レバノン）の人びとより、同じ西半球の国々（バルバドス、コスタリカ、チリ）の人びとより、イギリスの植民地であった国々（カナダ、オーストラリア、ニュージーランド）の人びとより……短命なのだ。他の国々も、平均寿命の表で私たちを追い抜き続けている。私が一〇歳の時、つまり一九八〇年には、（一〇歳の）アメリカ人はアメリカと同じように富んだ国の住人より一年ほど平均余命が短かった。その程度の差だったが、二〇二〇年、つまり私が五〇歳の時点で、（五〇歳の）平均余命の差は四年に開いてしまった。これは別に他の国々が医学の知見の点でアメリカより進んでいるとか、医師たちが優れているからではない。彼らの医療システムがアメリカより優れているせいなのだ。

アメリカと他の国々の差は、今年二〇二〇年にさらに開いた。民主主義国家のなかで、新型コロナウイルスによるパンデミックに対処するうえで、アメリカほど失敗した国家はない。日本、ドイツ、韓国やオーストリア、いやいや豊かな民主主義国家の国民ならば、私たちより少ないリスクのもとで暮らしているし、一人ひとりが感染についての情報や医療をもっと利用できるからだ。新種のコロナウイルスがこの国に蔓延する前から、アメリカでは死があまりにも容易に起こりすぎていたのだ。パンデミックに対する私たちの不手際は、私たちの病《マラディ》――つまり、安全と健康ではなく苦痛と死を分配し、多数の者の繁栄でなく少数の者のための利益を追求する政治――の一番新しい症状というのに過ぎない。

新型コロナウイルスは、私が入院中から――つまりその頃にそれが記録されたのだから――もっと真剣に受け止められるべきだった。私たちは二〇二〇年一月に、この新型ウイルスについて検査を行い、新しい病気を追いつめ、その蔓延を食い止めるべきだった。これはたやすく実施できたはずだ。なぜならアメリカよりはるかに貧しい国々がそれに成功したのだから。アメリカの感染者全員に病棟のベッドや人工呼吸器があてがわれ、彼らを治療する医師や看護師には充分なマスクや防御服が用意されるべきだった。ウイルスに人間的な要素はないが、人間性を測る尺度にはなる。私たちはその尺度で好成績を収めたとはとても言えず、結果的に一五万人〔凡例2を参照のこと〕のアメリカ人がいわれもなく命を落としてしまった。

私たちの病《マラディ》は、公害やオピオイドによる死、収監や自殺による死、新生児死亡といったものをあまりにも身近なものにしてしまったが、今度は、高齢者の大量死も加わった。私たちの病は、どのような統計よりも根深く、さらにパンデミックよりも根深いところにまで達している。私たちの人生が以前より短く不幸なのにはわけがある。現職の大統領が、アメリカ人をパンデミックの起きているあいだというのに無知なままに留め置いて、アメリカ人の混乱や苦痛につけ込もうと考えるのにはわけがある。私たちの病《マラディ》は私たちを孤立するに任せている——傷ついた時にどちらを向けば良いかさえ定かでないままにして。

アメリカは自由を志向する国家だと思われているが、病気と不安は私たちをより不自由な状態に導く。自由であるとは、私たちが自分らしくいられること、自分たちの価値観や欲求に則ってこの世界を動きまわれることを意味する。私たち一人ひとりが自分の幸福を追求し、何らかの足跡を残す権利を持っている。幸福を心に描きたいのに病に冒され、あるいは幸福を追及したいのに心身が衰えていたとしたら、自由であることはできない。私たちが、とりわけ健康に関してだが、有意義な選択をしなければならない時に知識を欠いていたなら、やはり自由であることは不可能だ。「自由」という言葉は、私たちを病気にし、無力にしたままにする人びとが口にする時には、偽善的に聞こえる。私たちの連邦政府と私たちの商業主義的な医療システムが私たちを不健康にしているなら、両者は私たちの自由を奪い去っていると言えるのだ。

自由はときに、闇のなかの叫び、先に進もうとする意志、孤独な怒りだ。病院のベッドで私はそれを必要としていた。だが人生において自由であろうとする人間は、それだけでなく、穏やかな声や友情にあふれた見舞いを受け、病によって見捨てられるわけではなく思いやりを得られるのだという確信を持つことも必要だ。それもあって、私は新しい年――なんと私たちにとってパンデミックの年になるのだが――を迎えられたのだ。私がここに描く教訓は、病院でノートに私が記した思いや経験から生まれたが、孤独と連帯がどのようにして手に手をたずさえて機能するかについて記している。

自由は私たち個々に関わるが、かといって誰一人として助けなしには自由ではありえない。個々の権利のためには共同の努力が必要だ。「アメリカ独立宣言」は「すべての人間は平等に創られている」と断言し、「そして、われわれは、この宣言を支持するために、神の摂理による保護を強く信じ、われわれの生命、財産、および神聖な名誉をかけて相互に誓う」で宣言を締めくくっている。権利とは、私たちがそれに値すると確信しているものだが、権力にその存在を認めさせて初めて、この世界において現実のものとなるのだ。
「人間の自由の進歩の歴史を通じて、自由の尊厳ある申し立てに対してなされたそれまでのすべての譲歩は、真摯な奮闘から生まれたことを示している」とフレデリック・ダグラスは私たちに思い出させる。[*5] それは私たちの病を癒やそうとする闘争に違いない。その闘争は、私たちが、医療は人間の権利だと主張することから始まる。

†1　マックス・プランク人口研究所によれば、二〇世紀に国勢調査のたびに二歳ずつ伸びていた平均余命は、二〇一〇年以降は横ばいないし微減である。CDC（Centers for Disease Control and Prevention. 疾病対策センター。本書七三頁を参照）のNCHS（National Center for Health Statistics. 国立衛生統計センター）によれば、新生児の平均余命は二〇〇七年に七八・一歳と七八歳を超え、二〇一四年の七八・九歳で天井を打った。

第1章　医療は人間としての権利だ

病に倒れた時、私はドイツにいた。一二月三日、深夜のミュンヘンで腹痛に襲われて入院したが、翌朝には退院させられた。そして一二月一五日、コネティカットで虫垂切除の手術を受けるために入院し、二四時間も経たないうちに退院となった。一二月二三日、休暇で訪れたフロリダでは手と足がずきずき痛んで痺れてきたために入院したが、翌日には退院させられた。その後に頭痛といやます倦怠感に襲われ、体調のさらなる悪化を感じ始めた。

一二月二七日、私たちはニューヘイヴンに戻ることにした。私はフロリダで受けた治療に満足せず、家に帰りたかった。だがその決断を下して手配をしたのは妻のマーシだった。二八日の朝、彼女は荷物をまとめ、二人の子どもが出発する準備を整えたが、その間《かん》の私は重荷となるだけだった。なにしろ歯を磨いては横になり、衣服を一枚着てはもう横になる始末だったからだ。マーシがフォートマイヤーズ空港で車椅子の手配をし、必要な場所に私たちを連れていった。

空港でマーシがレンタカーを返却してくるあいだ、私は車椅子に乗っていた。子どもたちは舗道の縁石に座っていた。その旅を振り返ってマーシはこう言う。「あなたは飛行機のなかで死んでしまい

そうだったわ」。ハートフォード空港に着くと、彼女は待っていた友人の車が駐車している場所まで
まっすぐ車椅子の私を押していき、それから子どもたちと一緒に、荷物が出てくるのを待った。私たちの友人は何が起きているか理解していなかった。彼女は車椅子に乗った私をひと目見ると、ポーランド語で「いったい彼らはあなたに何をしたの？」と口にし、私をフロントシートに乗せた。彼女がニューヘイヴンまで急いで車を走らせるあいだ、私は座席を倒して平らにして横たわった。そうしていると頭痛が少しは和らいだからだ。

　悪戦苦闘の末に、私はニューヘイヴンの病院の救命救急室になんとか収容された。駐車場から救急病棟のロビーに着くまでは、車椅子を押してもらった。ロビーでは医師である別の友人が待っていてくれた。その時はわからなかったが、すでに肝臓が重度の炎症に見舞われ、敗血症を起こして死に瀕していたのだ。救命救急室の入り口に控えていた看護師たちは、私のことをあまり真剣に考えていないようだった。私が文句を言わなかったせいもあるが、私に付き添っていた女性が、医師ではあっても黒人だったためだろう。[*1] 彼女は私がただちに手当を必要としていることを前もって電話で伝えてくれていたが、効果はなかった。

　車椅子にいる私とロビーのテーブルで待つ友人のあいだでだらだらと小一時間が過ぎていったが、ようやく救命病棟に通された。その時はたいしたことは起きなかったので、ロビーから救急救命室のベッドにもぐりこむあいだに、自分の目に映ったものを検討していた。私はこれまで六つの国でたくさんの救急救命室に入ったことがあるから、救急救命室については勘が働くのだ。以前に目にしたほ

とんどのアメリカの救命病棟と同じように、ニューヘイヴンの病院の救急救命室も満杯で、通路にまでベッドが列をなしていた。六日前のフロリダでは、混雑はずっとひどかった。その晩、ニューヘイヴンでは、私は小さな空間を占めることができたので幸運に感じた。独立した部屋ではなかったけれど、他の何十台ものベッドとは黄色いカーテンで区切られた、アルコーブのような場所だった。

しばらく経つと、そのカーテンが邪魔に思えてきた。救命救急室で注意を引くには、誰がスタッフであるかを見つけ出し、誰かの眼を捉えることが必要だ。カーテンが閉められている時には人びとが行きかう様子を見ることができなかったので、制服の色やネームカードを見て助けを呼ぶのは難しかった。最初にカーテンを開けた医師は、私が疲れているのか、さもなくばたぶんインフルエンザだろうと診断し、私に輸液を施した。狼狽した私の友人は、私の状態はもっと深刻だと医師に告げようとした。「この人は競技レースに出ることができるくらい健康だったんです。それが今では立ちあがることもできないんですよ」。さらに友人はそのレジデントに向かって、私が救急救命室を訪れるのは数日間で二度目であり、特別な注意が必要だと請け合った。だがレジデントは疑わしい様子で立ち去ったし、彼女の背後のカーテンを半分開けていった。おかげで私は、救急救命室に入る際に担当してくれた二人の看護師が通り過ぎるのが見えたし、話している内容も聞こえた。「あの人誰なの?」「自分では医者だって言っているわね」。彼女たちは私の友人について話しながら笑っていた。その会話をその時に書き留めることはできなかったが、あとになってそうした。その晩に人種主義《レイシズム》が私の生きる可能性を害《そこな》ったように、人種主義は他の人びとの生きる可能性を、彼らの人生のいかなる瞬間においても害うものなのだ。

ニューヘイヴンのその晩の救急病棟は、アメリカのどこの場所の救急病棟とも変わることなく、年配のアルコール中毒患者や、銃で撃たれたり、刃物で刺されたりした若者で満杯だった。ニューヘイヴンの土曜の夜は、医師や看護師やスタッフにとっても、そして患者の側にとっても過酷なのだ。たしかにそれは土曜の夜だった。体が激しく震えるのを止めようとして私はシーツを引っ張り上げ、やはり土曜日だったが、この同じ救命病棟の隣のアルコーブで繰り広げられた場面を思い描いていた。

八年ほど前、私はパンを切ろうとして誤って二本の指を切ってしまった妻のマーシを連れて、この同じ救命救急室に来たのだ。マーシは出産予定日を二週間過ぎていて、いつもの彼女に比べると動きがぎこちなかった。彼女が叫ぶのを聞いた私は、慌てて階下《した》に降り、止血を試みてから911にダイヤルした。救急隊員たちは明らかに家庭内暴力を想像していた。あたりに血が飛び散っているなか、私たちは台所の床に膝をつき、私はマーシの手を心臓より高い位置に持ち上げながら、二歳の息子に何が起きたかを穏やかに説明していた。この様子を見たパラメディックたちは、きわめてゆっくり動きつつ、現場を踏んでいる抑制された声で、私たちに質問を始めた。

妻と救急車に乗ったパラメディックらは、少し緊張がほぐれると、私たちの息子が可愛らしいなどと言ってくれたそうだ。息子とともに家に残った私は、何人かの友人たちが息子を一晩預かりに来てくれるまで待ち、それから救急病棟に収容された妻のもとに行った。専門家が来るまで数時間待たされたが、明らかにこれは形成外科医のなかに土曜の夜に救急救命室に来るのを嫌がった者たちがいたためだろう。やって来た医師は、妻の指が切断されていなかったのでほっとしたようだった。それこそ、その場でその時に彼が予期していたことだったのだ。病院を出た時、私は妻のスカーフをベッドの枠の隅に巻きつけたままにしていたことを思い出した。それを取りに駆け足で戻ると、スカーフが巻かれているはずのベッドの柵のところには手錠がはめられているのに気づいた。手錠は妻よりひどいナイフの切り傷を負った男性の手首に嵌められ、妻のスカーフはその男性の首に巻かれていた。私はそのままにして戻った。

一二月二九日の早朝、救命救急室のアルコーブのなかでゆっくり息を吐き出しながら、私には追憶にふける時間がたっぷりあった。インフルエンザを始めとして、さまざまな検査がのろのろと進められたが、芳しい結果は得られなかった。二週間前、この同じ病院で虫垂切除の手術を受けたというのに、救急病棟のスタッフの誰一人として私の電子カルテに目を通そうとしなかった。私はフロリダの病院で貰ったCDとプリントアウトを入れたフォルダーを持っていて、それを医師たちに見せるだけの冷静さも備えていたが、彼らは興味を示さなかった。「ここでは私たちのやり方で物事を進めるんですよ」とレジデントは言った。医師も看護師も、私の症状を病歴として受け止めることはいわずもがな、きちんと会話するだけの余裕もないように見えた。

私は彼らが何に気をとられているのかを見る、というより聞くことができた。私のバイタルサインは悪化し、感染が全身の血液へ拡がっているにもかかわらず、カーテンの向こうから聞こえて来るおなじみの物音は私の注意も引いていた。カーテン越しに右側のベッドにいるアルコール中毒患者は、声からするに年取った婦人らしかったが「ドクター！」「ナース！」と呼び続けていた。左側のベッドのアルコール依存症患者はおしゃべりなホームレスの男性だった。ズボンのベルトはどうしたのかと聞かれた彼は、ギリシャ神話に出てくる狩猟家のレイピストであるオリオンに自分をなぞらえ、「オリオンのベルト」（オリオン座の三つ星）について繰り返し口にしていた。女性の医師や看護師がそばにくると必ず「おまえは俺のもんだから、忘れるんじゃねえぞ」とすごむ始末だった。ある看護師は、自分は誰のものでもないわよ、と言い放った。退院する時、彼は「家にいると安全に感じるか」といった規則どおりの質問をいくつかされていたが、これは実に馬鹿げていた。彼には家がなく、寒い戸外に戻ってゆかねばならなかったからだ。しかも彼の答えには、質問する看護師に加えようと想像する性暴力についてのものも含まれていたから、このルーティンの質疑はわいせつでもあった。

　カーテンのすぐ向こう側に二人の警察官が座り、負傷した二人の若者を監視していた。たいしてすることもない彼らは、ちょうど私のカーテンの前で身を寄せ、一晩じゅう大きな声で話し続けていた。おかげで、私はどのように警察署がシフトを組むかについて、また飲酒運転や乗り捨てられた車両、家庭内暴力、それにお好みの話題らしいが警察が阻止できない路上でのストリートギャング同士の喧嘩などについて知った。いくつかの話は面白かった。たとえば隣人のガーデニングを駄目にしようとして、シャベルを手に持ち、膝を泥で汚したまま逮捕された女性の話などだ。

　警官たちはそれぞれ異なることに興味を持っていた。一人は官僚組織について、もう一人は犯罪行為についてだった。犯罪について話すのを好む方は「アンパーソン」や「アンピープル」について語った。ジョージ・オーウェルの小説『一九八四年』では「アンパーソン」は国家によって記録を抹消された者のことを指している。だがその警官の頭にあったのは、彼が犯罪者とみなしているアフリカ系アメリカ人のことのようだった。私はそれについて彼と話したいと思ったが、体力が許さなかった。[*2]

私は気が遠くなりかけていた。アルコーブに移って三時間、熱は華氏一〇四度、摂氏でまさに四〇度に達していた。血圧も散々だった。九〇－五〇、八〇－四〇、七五－三〇、七〇－三〇……そうした数値のあいだのどこかだった。敗血症は人を死に至らしめるが、私はそれを治療してもらっていなかったのだ。

私がこうした状態を漂っているあいだ、カーテンの向こうの音は止むことがなかった。感覚はあらゆる音を捉え、脳は周囲のすべての人間が発する言葉を受け止めていたが、私はもう刺激を中和しようとしていなかった。そうしなかったというより、そうするだけの生命力がもう残されていなかったのだ。警官たちの会話は入り続けてきた。それだけでなく、酔っ払いの叫び、床でキュッキュッという靴音、自動ドアが開いたり閉まったりする際のギイギイいう音、自動ドアを開けるために平手でボタンを押す音、自動ドアにぶつかるベッドの音……。アルコーブのカーテンは、脇を通る人びとの体に触れてそよいだり、向こう側から吹いてくる風につられて踊った。

朝まだきといった時間に目を閉じていた時にも、カーテンがまだ動いているのが見て取れた。さざ波が立つようなその動きは、右から左へと、催眠術にでもかかっているかのように規則的だったし、波間を漂う無脊椎動物のようでもあった。カーテンの色は黄色からオークル色にと濃くなり、カーテンの縁《へり》のまわりも、外側からの蛍光灯の白い光に真っ黒な色がとってかわった。

五時間というもの、つまり一二月二九日の午前一時頃から六時頃まで、私は意識を保つのに苦労していた。目を閉じるたびに、オークル色のカーテンのさざ波が手招きするように思え、目をできるだけ開けていようと念じた。私の背後に見える血圧測定値に私は目の焦点をあてた。だがバイタルサインから振り返ってカーテンに目を転じるたびに、結局は目を瞑らざるをえなくなるのだった。すると、カーテンの色がオークル色にかわり、その動きがおぼろながら官能的になった。そして私は回想にふけった。

それまでの人生が走馬燈のように巡るというわけではなかった。むしろ記憶を抑制する力が消失してしまっていた。子ども時代のいくつかのイメージが重いパンチのような力となって蘇った。私はもうすでに、それらを誘導して別の記憶や新しい考えのための余地をつくってやることさえできなかった。現実の審判者ではなく、現実の傍観者になるのは不思議な感じだった。

成年に達してからの思い出は、起きたことではなく、他者から学んだことが多くを占めた。読書したものについて集中すると、私はきわめて優れた記憶力を持っているのだ。三〇代と四〇代の大半を、私はホロコーストやその他のドイツの犯罪、スターリンの大量射殺や飢餓、民族浄化……まだあるがそうした蛮行について一人称で書かれたものを読むことに費やした。それらもまた、今となって、招きもしないのに、一〇〇〇のジャブとなって蘇った。本の連なりが、記録の連なりが、写真の連なりが、次々とやってきた。

地下のバラックではなく、戸外で飢え死にすることを望んだウクライナの少年。自分が殺された時に奪われないように結婚指輪を隠すポーランドの将校。シナゴーグの壁に「何十ものキスを送ります」という母親宛てのメッセージを爪で引っかいて残したユダヤ人の少女。子どものいないウクライナの農民夫婦に引き取られたユダヤ人の少女のことがふと心に留まった。「あんたは私たちにとって娘みたいなものになるんだよ」と二人が言ったのを彼女は覚えていた――私も覚えていた。ユダヤ人をアパートに匿いながら、何も特別なことが起きていないように振る舞うという才覚のある女性の物語の、何が私にためらいを感じさせたのだったか――それは落ち着き、そう実存的な落ち着きだった。二五年のあいだ、折りに触れ眺め続けてきた一枚の写真が目の前によみがえった。ワンダという名の、冷静きわまりないポーランド系ユダヤ人の女性の写真だ。一九四〇年、彼女はワルシャワのゲットーに行けというドイツの命令を拒絶し、二人の息子を大戦のあいだずっと守り続けた。彼女の夫で息子たちの父親だった人物は殺害された。

写真や言葉の記憶がモノクロで次から次へと続き、オークル色のカーテンが背景で揺らぎ続けた。遠近感もなく生死の境もなかった。私は他の人びとと ともにあった。最初、私は死者の世界に居心地の悪さを覚えたが、そんな気持ちも過ぎ去った。私は彼らから学んでいた。彼らが覚えていたことを、私も覚えていた。ワンダの息子たちのうち、年下の子は歴史家になり、彼の母親がゲットー行きから彼を救った五五年後に私の博士論文を承認してくれた。さらにその二〇年後、私は彼の母が成し遂げたことを知ってそれを書いた。人生は人びとの内側にあるばかりではなく、人びとのあいだを通り過ぎてもいくのだ。

私はオークル色のカーテンが嫌いだった。なぜかと言えば、それが反発を覚えさせつつも魅惑的でもある死への、恐ろしい通り道だったからだ。それを日記に記すことは一切しなかったが、あまりにもはっきりとそれを思い出す。

一二月二九日の午前一時頃から六時頃まで、私の体はあまり治療を受けられなかった。点滴で血圧は少し上がったものの、実効性のある治療はなされなかった。医師も看護師も、数秒より長く私のもとに来てはくれず、目を合わせることさえしなかった。彼らは血液検査をしたが、結果を忘れ、誤って報告をし、そしてどこかへ逃げていってしまった。[*3] つねに医師や看護師が気を散らされているというのは、私たちの病《マラディ》の一つだ。どの患者もそれぞれの病歴を背負っているのに、誰もそれを知ろうとしないのだ。

二週間前、私の虫垂切除手術の際の医師たちは私の肝臓の損傷に気づいてはいたが、治療をすることは怠ったし、もう一度診察することも、別のテストを指示することもなく、言及することさえしなかったのだ。手術の次の日、つまり一二月一六日に私は退院させられた。あまりにもわずかな抗生物質を持たされ、二度目の感染についてはまったく知らされずじまいだった。一二月二三日に、手足がずきずきと痛んだり無感覚になったりするという症状を抱えてフロリダの病院に入院した時も、肝臓について医師たちに話すべきだとは判断できていなかった。フロリダでも私は翌日に退院させられた。一二月二九日、ニューヘイヴンの病院の救命救急室で、私の症状が虫垂や最近の手術にかかわりがあると考える者はいなかった。ニューヘイヴンの医師たちにとって、自分たちの同業者が何か間違いをしでかしたと考えるなど、思いもよらないことだったのだ。同じ医師仲間というこのような思考法は初歩的なミスだが、ストレスを受けている時には誰もが犯しやすい。

　ニューヘイヴンの医師たちは、ようやくのこと、フロリダの医師たちが何か間違いをしでかしたのではないかと考え始めた。私の細菌感染が明らかになると、彼らはフロリダでの脊椎穿刺《せんし》による髄膜炎を疑いはじめた。そこでニューヘイヴンの医師たちは二度目の脊椎穿刺を試みたが、私の脊髄液を取ろうと背中に穿刺しているあいだでさえ、気を散らしていた。レジデントは、以前に脊椎穿刺を受けた時の傷のところ、つまり感染症の場所と推定される場所に穿刺を行うという明らかなミスを犯し、仕方なく担当医が彼女に針を引き抜くよう指示した。人びとは、携帯電話がそばにある場合はより間違いを犯しやすいものだが、どちらの医師も自分の近くに携帯電話を置いて電源を入れたままにしていた。[*4]私は顔を壁に向けたままベッドで背中を丸めていたが、処置のあいだに彼らの携帯電話が三度鳴ったから、それがわかっているのだ。最初が一番印象的だった。二度目の箇所に長い針を突き刺した時、レジデントが電話の音に反応して跳びあがったからだ。ベッドの柵に覆い被さるようにして、私はできるかぎり動かないようにしていた。

私は、絶えず注意力をそらされる医師たちのなすがままになっていた。私の友人は虫垂切除の手術を手がけた外科医を呼んだが、彼女は肝臓の所見も覚えておらず、その時も他の時もそれが記録に残っていないと言い張った。仮に救急病棟の担当医とレジデントの気が散らされていなければ、彼らは自分たちで私の先回の手術の記録に目をとめて肝臓の問題に気づき、二度目の脊椎穿刺は行わずに済んだだろう。ほんの少しでももっと私の話に耳を傾けてくれれば、私は、病状を探る重要な手がかりとなる肝酵素の上昇を示すフロリダの病院での記録を見せることができただろう。私はそれらの結果に丸印をつけてさえいたのだが、彼らの注意をそれに向けることはできなかった。もし二人の医師が脊椎穿刺の前に携帯電話の電源を切ってくれていたら、彼らは私の脊椎に刺した針を揺らすことなく、必要と考えた処置を講じられたことだろう。それまで起きたことすべてと同じように、これは私の不運のせいではなく、医師たちを苛立たせ間違いを起こさせるシステムの性格ゆえだった。

私は長時間、敗血症に苦しんだ。イギリスの国民健康保険制度（ＮＨＳ）では、敗血症を起こした患者には、入院後一時間以内に抗生物質を投与するように勧めている。医師である私の義父は、医師自らがそれを確認するべきだと訓練されてきた。ところが私の場合はなんと八時間も待たされ、しかもそれはシュールとしか言いようのない二度目の脊椎穿刺のあとで行われた。そのテストで芳しい結果でなかったのに、それから九時間も経ってようやくカーテンが開けられ、私のベッドはアルコーブから手術室に移された。虫垂切除手術の際の私のＣＴスキャンの映像をようやく誰かが目にし、見過ごされた肝臓の問題に気づいたのだ。[*5] 新しいスキャンの画像は、肝臓の膿瘍が、無視されていた二週間のあいだに大きくなっていたことを示していた。肝臓に急いでドレーンの処置がなされたあと、私は病室に運ばれた。そこで私は、二〇一九年の最後の二日間と二〇二〇年の最初の日々を、怒りとそして共感を覚えながら過ごした。術後のケアが失敗したのを受けて、私はもう一度肝臓に処置をされて、さらに二本のドレーンを挿入される羽目になったのだ。

私は数週間後、体に九つの穴をあけられたまま退院した。三つは虫垂炎切除手術の際の、三つは肝臓のドレーンのための、そして脊椎穿刺による二つ、それに抗生物質を腕から通すための一つ。退院時に手や足はいまだに震えていたが、現在かかっている神経科医はそれを、巨大な脅威に対抗しようとした免疫反応からくる神経のダメージゆえだったと信じている。

これまで記してきたように、私はまだ治療中だ。薬を服《の》み、検査を受け、医師の診察を受けている。私にとって書くことは治療の一環だ。なぜなら、私自身のこれまでの倦怠感《マレイズ》は、私がより広範な私たちの病《マラディ》を理解するのに役立ってくれるかぎりにおいて意味があるからだ。私は自分が行くべきでなかった場所、私にとっても誰にとっても起きるべきではなかった出来事を思い返し、それらの意味を理解したいと願っている。

ニューヘイヴンの病院から退院したあと、私が救命救急室に入れられていた際に、妻と私が影響力のある有力者たちに庇護を求めなかったことに同僚たちがひどく驚いていることを教えられた。私たちはそんなことは考えもしなかった。仮に医療システムがそのように動いているなら、そうであってはいけないのだ。特定のアメリカ人が、富やコネクションのおかげで医療の恩恵を受けられるのなら、彼らは自分たちがその特権に恵まれ、他の人びとはそうでないことに満足するだろう。そうした感情は人間として当然である私たちの健康への関心を、民主主義を弱体化させる静かではあるが深刻な不平等へと変えてしまうだろう。先進国世界のほとんどがそうであるように、誰もが最小のコストできちんとした医療を受けられるのなら、同胞を平等の存在としてとらえやすくなるのだから。[*6]

私たちの病《マラディ》の一部は、アメリカでは——生と死についてさえそうなのだが——「すべての人間は平等に創られている」という前提が真面目に受け止められていないことにある。もし医療をすべての人間が平等に利用できるならば、肉体的にばかりではなく、精神的にもより健康でいられよう。自分たちの生存が貧富や社会的地位に左右されると思わなくて済めば、私たちの生活は、心配に満ちた孤独なものではなくなる。私たちは深い意味でもっと自由になれるだろう。

健康は存在にとっての基本であるのだから、医療への信頼は自由にとっての重要な要素だ。仮に誰もが、必要な時に医療が受けられると信じられれば、人びとは頭脳を初めとする資源を他のことに向け、より自由な選択をし、より大きな幸福を追求できる。その反面、医療が一部を優遇するものだと感じれば、優遇の内部にいる者は外部にいる人びとが苦しむことに満足を覚えるようになる。医療が権利ではなく特権である時、医療はその特権を享受する側を道徳的に堕落させ、享受できない側は死に至らしめる。自然なものに思えるようになってしまうサディスティックな医療システムに、誰もが引きずり込まれている。個人としての幸せを追求するかわりに、私たちは一緒になって集合的な苦痛を生み出しているのだ。

だから私たちの病は、私たちすべてに関係がある。私たちは皆、集合的な苦痛に一役買っている。より裕福な者たちは、そうではない人びとを害している。医療を受けることが競争となる時、勝者は他の者たちを害するが、自分たちも貧弱な治療しか受けられない。自分たちの相対的な優位に気をとられて、勝者は他者を害する時、彼ら自身をも害していることに気づかない。もし医療が権利だとしたら、私たちは誰もが治療を受ける権利を持ち、集合的な苦痛から自由になることができるだろう。私たちの体、そして魂のために、医療は特権ではなく権利でなければならないのだ。

病院を退院してから、大学の建物が新型コロナウイルスで閉鎖されるまでのあいだに、私は大学のオフィスを訪れた。病院での日記のコピーを取って安全な場所にしまいたかったのだ。

私は何年もの仕事と旅行でつくられたカオス、つまりテーブルの上の山、床に置いた本などを見つめた。病気のあいだ数ヶ月も離れていたあとで、どれもが少し変わって見えた。私はすべてを秩序立てたくなった。それ以外のことをするにはまだ体力が戻っていなかった。本を何冊か書棚にしまい、いくつかファイルを整理したが、その後はもう横になるしかなかった。死からなんとか離れた私は、自分がやりたいことと、実際にできることとのギャップを埋める簡単な方法を求めていたが、蔵書や書類を整理するのはそのうちの一つだった。書類を動かしながら、私は思い出もまた元通りにしようとしていた。私はオークル色のカーテンを心から閉め出したかった。目を閉じても瞼に浮かぶものをコントロールしたかったのだ。

一休みして本棚を眺めた時、私はそれまで書いてきた人びと……大量殺人の犠牲者や生存者の経験に思いを馳せた。私は現在まで、その意図に何の曖昧さもなしに人びとの命を直接的に——射殺もあれば、人為的に引き起こした飢餓、ガス殺もあったが——奪った政策について書いてきた。そして私は、ほかの人びとが私よりずっと前に気づいたことだが、意図的に健康を剥奪するのもまた、それに類する危害だと気づいた。[*7] 人間は、同胞として治療され癒されるのではなく、人間というに値しない疾患の源として扱われることもありえた。別の集団のより大きな利益のために、健康状態によって選別され、死に至るまで働かされることもありえたのだ。

私のオフィスの書棚の一つは、ナチスドイツとホロコースト関連の本で占められている。一冊はアドルフ・ヒトラーの書簡や書いたもの、スピーチを集めたものだ。最初に書いた反ユダヤ的な書簡のなかで、ヒトラーはユダヤ人を「人種的結核」と呼んでいる。[*8] インフルエンザの蔓延のなかで彼は人間を伝染病になぞらえていたのだ。ヒトラーが政権を掌握すると、ナチスは健康なドイツ人のあいだにユダヤ人が病気を流行らせていると非難した。第二次世界大戦中、ナチスはユダヤ人を「チフス菌」と呼んだ。医療もなしにユダヤ人をゲットーに閉じ込めることは、彼らを実際に病気にしてしまった。[*9] ゲットーを訪れたドイツの旅行者は、病気にかかったユダヤ人を見世物扱いにした。ユダヤ人が病気になると、それを口実にナチスは彼らを手早く殺害した。ヒトラーは、ユダヤ人という細菌からヨーロッパを解放することを、「腫れ物を切開する」こととして自慢した。

もしナチスのホロコーストを悪意の最も深い形とみなすなら、究極の善とは何だろうか。私たちがヒトラーの発言や行動を非難するなら、私たち自身の言動についてはどうなるのだろうか。ナチスは、医療をもって、人間と、人間以下の存在や人間と認めない存在とを分ける手段とした。仮に私たちが、他者を疾病を運ぶ者とみなし、自分たちは健康な犠牲者と見るのであれば、ナチスと大差がないということになる。真にナチスの悪《イーヴル》に反対するのであれば、私たちは思考を彼らと反対の方向、つまり善に向けなければならない。それに向けての取り組みの一つは、すべての人間が疾病にかかりうるし、医療を受ける平等な権利を持っていると理解することだ。

もっぱら強制収容所関連の本を収めている書棚も別にある。[*10] 通常、強制収容所を管理する人びとは、健康に近い人間ほどましな扱いをし、病んだ人間ほど過酷に扱ってきた。人間の尊厳と生命に対する配慮が皆無の時、重要なのは、そこからどれだけの労働力を吸い上げることができるかだけである。スターリンのグラーグは、医療に対するこうした逆転した論理に基づいていた。[*11] ソヴィエトの行政官たちは囚人を経済的単位として捉えていたため、医療は生産性の計算結果に応じて支給された。医療の寄せる関心とは、誰がより長く働かせることができるか、誰がすぐに見捨てられるべきか、を見究めることを意味した。強い囚人は、彼らが生産的であるかぎり（たぶん）医療を受けられたが、弱い囚人たちは死ぬにまかせられた――記録される死者に数えないで済むという理由から、彼らはしばしば収容所から解放されてゲートの外で死ぬよう取りはからわれた。

もし私たちがグラーグを恐怖の極致と捉えるなら、善の頂点とは何だろう。その答えの一部となるのは、人間は生産的であるかとか利潤をもたらすかといった判断にはかかわりなく、医療を受ける権利を平等に持っているという了解だろう。それは、アメリカ人を含むたくさんの賢い人びとが、二〇世紀の恐怖から学んだ結論である。

医療が権利であるという概念は、今日《こんにち》のアメリカ人には奇妙に思われるかもしれない。だがアメリカは、公的にはもう七〇年も前にそうした権利を確約している。ナチスドイツが第二次世界大戦で敗北し、アメリカ合衆国とソヴィエト連邦が冷戦に突入してから、アメリカは医療が人間の権利だという文言の協約を起草し、それに署名しているのだ。

一九四六年に設立された世界保険機構（ＷＨＯ）の憲章には、次のように記されている。「到達し得る最高基準の健康を享有することは、人種、宗教、政治的信念又は経済的若しくは社会的条件の差別なしに万人の有する基本的権利の一つである」。一九四八年に採択された国際連合決議である「世界人権宣言」は次のように謳っている。「すべての人は、衣食住、医療及び必要な社会的施設等により、自己及び家族の健康及び福祉に充分な生活水準を保持する権利……を有する」。ほとんどの国家の憲法は、国民が医療を受ける権利を定めている。これらの国には、ドイツと日本も含まれるが、両国の憲法は第二次世界大戦でアメリカに敗北したあと、アメリカの憲法に影響されて作られた。そして今日《こんにち》では、ドイツ人も日本人も、長寿、健康の両面で、アメリカ人より優れているのだ。

アメリカ人は、世界中で医療を権利として確立するのに寄与してきた。ならばなぜ、医療はアメリカでそのように受け止められていないのだろうか。なぜアメリカ人は、私たちの政府の代表が署名した協約に守られていないのだろうか。私たちは、他の民主国家の国民がアメリカ人には否定されている権利を享受し、それらの国の国民が私たちと比べ長く健康な一生を送るのを、指をくわえて見ていなければならないのだろうか。私たちの多くの者がそれを受け入れているように見える。いったいなぜだろうか。

私たちの死への願望は、孤独と連帯のあいだのバランスが一層とれなくなっていること、つまり共感によってバランスがとられていなければ私たちの自由を確かなものにするどころか損なってしまい、怒りとかかわりがある。そう私は考えている。私の出自と、今回の危機の前に私が体験した疾病を振り返ってみれば、今のようにバランスのとれなくなった理由の一端をうかがい知ることができよう。

入院中の日記に、私は私の子どもたちが待っているわが家と、オハイオの納屋のスケッチを描いた。私は農民であった父方の祖父が五五歳の時に生まれた。まあまあ運動好きな子どもだったが、それでも祖父の前腕は私より二倍も太かった。手からは血管が浮き出て腕まで続いていた。両の手首をつかまれると動かすこともできなかったのを覚えている。農業機械による事故で指を一、二本失っていたが、祖父は意に介していなかった。もう一人の祖父、つまり母の父親もまた農民だった。自分がどんなものを作ったり修繕したりできるかを話すことはなかったが、見たところ何でもだった。彼はトラクターを運転中に亡くなった。たぶん、二人の祖父はその労働生活のなかで痛みを訴えたこともあっただろう。だが彼らがそうする姿は、私には想像できない。誰も私に向かって苦痛を訴えるもんじゃないとは直截的には言わなかったが、私はごくごく若いうちにそれを信条にした。八歳の時、父の木製のそりに乗っている時に古い樫の木を腕を使ってよけようとして左手首の「若木骨折」となったことがあったが、X線写真を見るまでは一言も発しなかった。

一〇年かそこら経ってから、ワシントンDCの運動場でバスケットボールをしていた時、左の足首を捻挫した。たぶん折れていたのだろう。私は足首を添え木で固定し、数日間じっとしていたあと、ひと夏のあいだ、杖をついて働きに出かけた。その時はお金も保険もなかったから、X線写真は撮らなかった。のちに同じ足首を捻挫した時はもう保険に入っていたので、治療を受けた。二〇代と三〇代には、七本の肋骨を骨折した。五本はバスケットボールをしている最中に他人の肘にぶつけられて、二本はヴァル・ド・グラースというパリの教会の敷地で転んだ際に自分の肘があたって折ったのだ。バウンドしたボールを受け止めて指を脱臼したし、足指の骨折の回数についてはもうかなり前に数えるのをやめた。これはすべて、私が背中を痛めて骨粗鬆症の診断を受ける前のことだ。年齢は重ねたが、骨の強度は分別ある医師の助言で改善している。

偏頭痛に襲われるのは、学部二年生の時に研究プロジェクトに打ち込んで徹夜した時に始まった。一九九一年、歴史を学ぶためにイギリスに渡った時、偏頭痛が定期的に襲ってきた。痛みを無視しようとしても無駄だった。人間は頭を体から離しておくことなどできないからだ。トリプタン系の頭痛を抑える薬が開発される前は、私はヨーロッパでもアメリカでも、仕事をし、暮らしている場所では、数週間に一度は救命救急室のお世話になっていた。時には、私は苦痛のために失神さえした。ひとたび治療薬が開発されると、救命救急室にお世話になる回数は数ヶ月に一度に減ることになった。

二〇一九年の一二月に最初に病に倒れた時には、苦痛を訴えるのをためらってはいられなかった。ドイツへ出張中に腹痛が始まったので、真夜中にミュンヘンでタクシーを呼び止め、病院へ連れて行ってもらった。だが私は病院で、どれだけ痛みがひどいかを医師たちに伝えるのに失敗した。外見からは丈夫に見え、苦痛をそれほど訴えなかったため、退院させられてしまった。ドイツの医師たちによると、私はウイルス性の感染症を起こしていて、しばらく腹部が痛むだろうということだった。

虫垂が破裂した時、何が起きているかを知る由もなかった私は、その苦痛を無視してしまった。つまるところ、感染症を起こしているからしばらくは痛むだろうと言われていたせいだ。私はドイツで成すべきことを終え、破裂した虫垂を抱えたままアメリカに帰った。二、三日、私は疲れを覚えて家で休んでいたが、その後、病院に行って虫垂切除の手術を受けた。その時にはもう虫垂の破裂が肝臓の感染を引き起こしていて、手術の前に受けたスキャンでも見て取れた。ドイツの医師たちは、どうやら私の虫垂炎を見過ごし、アメリカ人医師は肝臓の感染を放置してしまった。だがそうしたものが重なったのには、私が肉体的な苦痛を伝えるのが不得手だったこともどこかで絡んでいる。

苦痛に対する私の忍耐力は、私の命を救ってくれた怒りと同じ場所から来ている。それは私が、自分でも評価している仕事を達成するのを助けてくれた。だが苦痛をじっと我慢することは、他のアメリカ人も私も同じだと思うが、ある種の脆弱さをもたらす。誰しも、ひどい苦痛に永久に耐えることはできない。もし薬があれば、私たちは誰でも、いつかはその薬を服用するだろう。もし誰も話し相手がおらず、他の医療も受けられなければ、私たちは薬を服《の》み続けるだろう。苦痛を我慢することが当り前だったのが、いつの間にか薬を服むのが当然になってしまうのだ。変わらないのは、どちらにも人間的接触が欠けていることだ。私たちは、何百万人というアメリカ人がそうしてきたように、苦痛に耐える沈黙から依存症による沈黙へとすべり落ちてゆく可能性があるのだ。

　病院での私は、三回の外科手術の後に（強オピオイドである）オキシコドンを与えられたが、それを服まなかった。妻と、私が手術を受ける時に一緒にいてくれた友人の医師とのあいだの携帯メールのやりとりを今になって読んでみると、肝臓に二つ目と三つ目のドレーンを挿入するため皮膚と腹壁に穴があけられた後に交わされたものがある。

「ティムに鎮痛剤を飲むようもう一度話してみるわ。彼はいつもオピオイドには用心しているから」

「彼が欲しがった場合だけね、マーシ。私もオピオイドには用心するべきだと思うの」

　私もいくつもの点から心配していた。背中を痛めた時にオピオイドを服用した際、眠ることも起きていることもできず、その感覚が非常に嫌だった。私の兄は物理学者だが、何度か手術を受けていて、オピオイドの副作用は手術の過程や麻酔よりも頭脳にきつく作用する、と話している。何よりも、オキシコドンを念頭に浮かべる時、私はアパラチア山脈から中西部に至るまでの車の助手席の小物入れや道具箱、そしてクッションの下に隠されたオキシコドンの壜を思い浮かべてしまうのだ。

何十年にもわたって、聡明な医師たちは私に、医療とは痛みや薬剤に尽きるものではないと教えてくれた。一九九二年のロンドンで私の頭痛を治療してくれた医師は「面倒を見てくれるというなら甘えなさいよ」と言って私を面食らわせた。一九九四年から九五年にかけて一人暮らしをしながら勉強していたパリで頭痛がひどくなり、視力も失われかけた。本も文書も読めなくなり、気晴らしにテレビを見ることすらできなくなった時、ようやく問題があることに気づいた。ある日の夜、道路標識も地図も読むことができないまま、「気を失いそうだ」「目の前がちかちかする」といったフランス語の言いまわしを練習しながら、よろめくようにして病院を訪れた。

その後、私はパリで神経科医を訪ねた。お金はそれほど持っていなかったが、大してかからなかった。彼の病院を訪れるため、エッフェル塔の傍を通るバスを使った。私はいつもその塔を見つめ、続いてパリジャンの乗客の方を見たが、誰一人としてその塔をちらりとでも目にしようとはしなかった。神経科医は私を丁寧に診察して検査をしてくれたが、おそらく私の状態が悪化したのは、愛している人びとと別れたのが原因だろう、と診断した。若かった私は、彼があまりにフランス人的なのか、あるいは私をからかっているのか、どちらかだろうと思ったものだ。彼が真実を言いあてていたことを理解したのは、ずいぶん後になってからのことだった。[*12]

薬物治療が利用できるようになってから、二〇〇〇年代から二〇一〇年代になると、頭痛でヨーロッパの神経科医に会うたびに、処方箋を書くだけで放免してくれるよう願った。だが、ヨーロッパの医師たちは私がどのような人生を送ってきたかを知りたがり、頭痛の原因ばかりでなく、私の優先事項や日常の活動について知りたがった。ウィーンでかかった内科医は、長話に本腰を入れる神経科医を紹介してくれた。その神経科医は、私が食べたり飲んだりできないもの……たとえばシュニッツェルとワイン……を自分が禁じられれば、人生は生きるに値しない、などと言って私を笑わせた。数年前の深夜、ベルリンの救命救急室で、私はある医師が、どうやって私が一日を過ごしたかを、一時間もかけて聞きたがるのに当惑させられた。彼女は近くの深夜営業の薬局でも手に入れられる薬の処方箋を出してくれたが、なぜ私が外国の病院を深夜に訪れるような人間になったかを、私と一緒になってとくと考えたかったのだ。

　フランス人、オーストリア人、ドイツ人は私たちアメリカ人と同じ薬を使っているが、より安価で手に入れやすい。ドイツでは、薬剤師にどうして必要かを説明さえすれば、空港でも列車の駅でも、処方箋がなくても数ユーロで頭痛薬を買うことができた。だがそういったすべてがアメリカでは不可能だ。それは私たちが「夢の薬」を持っていて彼らが持っていないからではない。[†2] 違いは、ヨーロッパの医師は処方箋を書く以上に何かする時間があるということだ。私は、時間をかけ、患者とともに考えることを好み、心配しているように思える医師たちを尊敬するようになった。そして彼らは、そうしたことを可能にし、奨励する医療システムのなかで働いていることに気づいた。そうしたシステムは、私たちのシステムより効率的であるばかりか、コストも少なくて済むのだ。

　私はこうしたアメリカ以外の国の医療を受けることができて幸運だったが、そのことにより私は、薬と痛みの他に選択肢があることに気づかされた。もし予約の診療時間が一五分より長く、医師たちがパソコンのモニターより患者を見て診察すれば、患者の話を聞き出し理解することができるだろう。投薬はもちろん大事だが、それには限界があるのだ。

大晦日にニューヘイヴンの病院で、看護師が誤って偏頭痛の薬を、皮下ではなく、静脈中に直接に投与してしまった。子ども時代に、誤って壁の電気ソケットで感電した時の痛みを思い出したが、その時より痛みは長く続き、大急ぎで心電図を取る羽目になった。この事故によって、トリプタンにはつねに心臓に対して副作用のリスクがあること、私のかかっていた医師たちが服用量を減らそうとしていたことを思い出した。私は退院してから、それまで偏頭痛について何年間も受けてきた良い助言をもっと真剣に受けとめなければと思い始め、今に至っている。

誰も話の相手になってくれる人がおらず、別のアプローチも見つからない時、私たちは痛みと薬のどちらかを選ぶしかないのだと感じがちだ。アメリカでは、薬剤についての広告が医療情報の中心を占めているが、それらを通じて私たちは毎日、苦痛とは私たちの個人的な責任であり、薬がそれを治癒してくれると思い込まされている。[*13] 鎮痛剤が効いた場合には、痛みの深い原因を尽きとめることを無視してしまうため、それなりの危険が生じがちだ。薬の量を増やす場合も、あるいはその薬がもう効かなくなってしまう場合も、またまた厄介なことになる。苦しむことも、自己治療も、ともに孤独なやり方だ。どちらを選ぶか、私たちの自由に任されているように思えるが、実際には私たちが動きがとれなくなるような医療上の不安定さを生み出しているのだ。

アメリカ人の男性は、痛みを拒否していたのが、鎮痛剤が抱える問題を拒否することへと流れてしまう。そう、薬を服《の》まずに何ものにも勇敢に直面することから、すべてをあきらめて、とにかく薬を服むことへと流れるのだ。もし人生を生きるというのが痛みと薬のあいだを往復することだけであれば、私たちは大きすぎる怒りと充分とは言えない共感、はたまた大きすぎる孤独と充分とは言えない連帯、というアンバランスな結末を迎える。

そして現在、私の祖父の代に比べてこのアンバランスは一層ひどくなっている。[*14] 祖父の世代の男性は大恐慌を経験し、第二次世界大戦に従軍していた。新型コロナウイルスによる自粛期間中、子どもたちを喜ばせようと、子どもたちにとっては祖母の一人が、自分の父親が太平洋戦争でどのように戦ったかをカードに書いてよこした。その時代は今よりさらに大変だったのよ、というのが彼女のメッセージで、それはたしかにそのとおりだ。だが戦後の四〇年間は、社会的流動性が上向きだった時代だ。それに比べ、この四〇年間は苦しい時代だった。製造業での雇用の数は一九七九年がピークだった。今日《こんにち》工場での雇用が減少しているだけでなく、各種手当てや組合の加入証を得られる雇用も少なくなっている。「労働する権利」というプロパガンダは、アメリカ人に対し、組合の手助けを受けることなく一人でやってゆくことを教えている。けれども、それはさらに悪い仕事に就くことを意味するし、友情と呼べるものは少なくなり、人種主義に遭遇することは増え、ヘルスケアも貧弱になり、したがってより大きな怒りをもたらす。[*15]

小規模な農業は、生計を立てる手段としてはやっていけなくなりつつある。[*16] 子ども時代の私の目に不死身な存在として映った農民は、今やどの分野の職業と比べても自殺率が高くなっている。[*17] 農民のための連邦の自殺予防ホットラインは廃止された。これは「アメリカの夢」を守る壁を大規模に破壊してゆく、その一環と言える。野心に伴う孤独を連帯の支えが補完するという意図の「社会福祉制度」は瓦解してしまった。

かつて肉体的な強さは、農場でも工場でもかなりの報酬を意味した。苦しみも生産性の一部であり、事態に勇敢に立ち向かうのは正しいことだった。一九八〇年代までは、勤勉に働くアメリカの父親たちは、子どもの世代がより良い人生の機会を得られるだろうと期待できた。けれど、もはやそうはゆかない。経済状況が変わり、社会福祉制度が弱体化し、痛みが意義を失い、苦しみがその有効性を失った時、人びとが混乱するのも無理からぬことだ。アメリカ人は今、以前に比べて肉体労働が減っているのに、肉体的な苦痛を訴える率は高くなっている。悲しいことに、苦痛はもはや経済の一部、また私たちの政治システムの一部になってしまっている。かつてはアメリカの政治家たちは、より明るい未来のヴィジョンを提示しようとあがいていた。だが現代のアメリカ政治のかなりの部分は、苦痛に誘《いざな》ってそれを操作することにあてられている。

由々しき問題の一部は、商業ベースの薬物療法だ。一九九〇年代に出現した「ピルミル」――むやみに薬剤を処方する医療関係者――の出現は、苦痛と薬剤のどちらを選択するかという極端な論理を展開するものだった。ピルミルにおいては、医師たちは、通常はキャッシュと引き換えにだが、オピオイドを処方する他は何もしないのだ。最初のピルミルは、オハイオ州ポーツマス市で、どちらの祖父母の農場からも一一〇キロほど離れた場所だった。このポーツマスは、私が若かったころは製造業で繁栄している町だった。ポーツマスに郡庁があるサイオト郡の八万人の住民は、一年でオピオイドを一〇〇〇万回分も処方された。[18] もはや昔日《せきじつ》と異なり、苦しみは、それを引き受ける人びとにとって生産性をもたらすものではなくなり、苦しみとは無縁の人びとに利益をもたらしているのだ。

　オピオイドは、男女を問わず、すべての年齢層の、さまざまな経歴を持つ人びとにとって重要な問題だ。この薬のせいもあって、南部の白人女性の寿命は短い。[19] また、中年の白人男性の平均余命は伸びないままだ。[20] 孤独に自己犠牲に耐えるという「アメリカの夢」は破綻してしまったし、かつて組合によって提供された連帯や社会福祉制度のかわりに、人びとは腹立たしさ《ルサンチマン》とともに取り残されている。もし私たちにあるのが孤独な怒りだけだとしたら、私たちの心は崩壊し、何かに依存し、間違った人びとに耳を傾け、自分たちが気にかけている人びとに害を与え、はては死に至るだろう。オピオイドは、私たちが熟慮するのに必要な、また子どもや配偶者、友人、他の誰かれについて気にかけるのに必要な、心の中のスペースを奪ってしまうものなのだ。

　苦痛と依存という二重の絶望は、私たちの国の政治に影響を与えている。オピオイドによって荒廃した地域に住む人びとは、ドナルド・トランプに投票した。二〇一六年の一一月にトランプがある郡で勝利したかどうかを占うには、そこのオピオイドの濫用の程度を知ることだ。[21] 二〇一六年、オピオイド汚染の爆心地《グラウンド・ゼロ》であるサイオト郡で、ドナルド・トランプは二〇一二年にミット・ロムニーが獲得したより三分の一多い票を得た。ペンシルヴァニアでトランプが勝利したのには驚かされた。彼は四年前にバラク・オバマが勝利したペンシルヴァニアのいくつかの郡では大多数の票を得たが、これらの郡すべてがオピオイドの濫用による公衆衛生の危機に直面していた。これはかつてオバマが勝利し、四年後にはトランプが獲得したオハイオ州のいくつかの郡にも当てはまる。これらすべての郡で、オピオイド濫用による危機にさらされていないのはただ一つの郡だけだった。捨て鉢な投票は、捨て鉢な死と同じように、それとわかる。もっとも、（投票も自殺もせずに）表に出てこない人びとも苦しんでいるのだが。捨て鉢な投票者は、苦痛を取引の具にする政治屋どもに投票することで、自分たちや家族、そして他の誰かれを労《いたわ》ることを止めてしまう。[*22]

ある程度までは、孤独とは有益なものだ。私たちは、自分たちらしくいる方法を、一人でいる方法を知らなければ、自由ではありえない。ただし、あまりにも行き過ぎた孤独は——まず孤独な人間の、ついで他の誰かれの——自由を不可能なものとする。孤独な怒りは、自由の一部ではあるが、あくまでその一部に過ぎない。私たちが他人から援助を受けることが不可能になれば、私たちの怒りは私たち自身を守るどころか、すべての人間を危険に晒してしまう。ひとたび誇りが恨み《ルサンチマン》に変わってしまえば、私たちは自らが助けを必要としていることを忘れ、それを必要としているのは他人だけだと主張するようになる。闇雲にあたりを攻撃する怒りは、自由の徴《しるし》ではなく、怒りの矛先を用意する政治家に機会を与えることになる。トランプのような政治屋は、苦痛から絶望、誇りから恨みへの負のスパイラルを熟知していて、それに拍車をかけるのだ。彼らは苦しみによって人びとが動揺し、ヘルスケアに反対することを願っている。苦痛は彼らの政策であるし、彼らのプロパガンダは死の落とし穴なのだ。

こうした政治屋は、白人たちに対し、保険や公衆衛生を必要とするには、白人はあまりにも誇り高く、傑出した存在だと言い張る。政治屋によれば、そんなものは黒人や移民、イスラム教徒といった援助に値しない人びとに利用されるだけの結果となる、というのだ。そんなへつらいは、死への下り坂を滑らかにするだけだ。白人のアメリカ人は、苦痛を孤独な個人として受け止めるよう求められ、もし助けを求めたなら、彼らは自分たちや祖国を裏切っていると教えられるのだ。そしてこの論法によれば、助けを求めるのは皮膚の色の黒い不平屋ばかりということになる。もちろん、こうしたことを口にする議員たちは自分たちは政府によって医療を提供されているし、それでいて選挙民の役に立つとわかっているものを与えない。だが、彼らの罪のなかで、偽善は最も罪の軽い部類だ。医療を否定しつつへつらうのは、故殺のうえにサディズムを重ねることになる。[*23]

すべての人間が、大量死につながる苦痛の政治に惹きつけられてゆく。援助に値しない人びとを助けることになるのではと医療に反対するのは、こんな例えで説明できよう。誰かを崖から突き落として、それから自分の殺した人物の遺体がクッションとなって自分を助けると信じて、自分も飛び降りてしまうのだ。あるいはこんな例えもできる。あなたの銃のシリンダーには一個の銃弾を込め、相手の銃には二個込めてロシアン・ルーレットをするのだ。それならば、崖から飛び降りることもせず、ロシアン・ルーレットをするのも止めたらどうだろう？　自分も他人もお互いに邪魔をせず、誰の人生も長く質の良いものにしたらどうだろう？

苦痛とともに生きるのと、薬を服《の》むという極端な選択のあいだには、他の二つ――すなわち、私たちの方で見つけて利用できる医療か、あるいは私たちを見つけ出してカヴァーしうる医療か――から選択できる世界が広がっていなければならない。これは私たちが医師にもっとかかりやすくなることも意味するが、それだけでなく健康に関する他のもっと単純な手段も意味している。たとえば、肉体的苦痛のかなりは、理学療法やエクササイズによる治療がベストだ。これらの選択肢は、人間どうしの接触を伴うものだし、薬剤や移植手術のように手っ取り早い利益にはつながらない。もし私たちがアメリカ人の健康、アメリカ人の自由について関心を持つなら、「皆保険制度」にし、そして誰の保険も苦痛を取り除くのに役立つ手段をカヴァーするものにしなければならない。私たちは、個人の立場では作り出すことはできないが、どんな個人もそこから利益を得られる連帯のシステムを、今こそ必要としている。

現状は満足できるものだとみなすという精神的な習慣に陥るのはたやすい。また、苦しみや死に何か意味を見出すというのにも、心をそそられる。善意に満ちたアメリカ人はこうしたやり方で、生殺与奪の権を握る権力者を正当化してきた。もし誰かが亡くなれば、私たちは自らに、仕方のなかったことだし、何らかの理由があったのだし、神のご意志だったのだ、そんな風に言い聞かせる。こうした信念は、私たちを神の子ではなく利益を生む源泉として捉えている商業的な医療システムに私たちが挑戦するのを妨げてしまう。私の味わった苦しみは、私がそれから何か学ばなければ無意味であり、私の死も無益ということになろう。商業的な医療システムに携わるほんの一握りの人びとを富ませるために、同胞であるアメリカ人が苦しみを味わったり命を落とすことを神がお望みだ――私にはとうていそうは思えない。

また、名誉ある伝統に安んじて、一八世紀を振り返り、建国の父たちが現代の公衆衛生などというものは想像しなかったと考えることにも心をそそられる。もちろん、建国の父たちはさまざまなことを予見できなかった。だが市民として、そして歴史家として、私は建国の父たちが、国民が必要以上に質の低い人生を送って早死にするアメリカを、また、多くの国民の病気が少数者の利益につながるアメリカを望んでいたなどとはとうてい思えない。憲法の前文における楽観主義は、一九、二〇、二一世紀となっても響き続ける。つまり良き政治とは、「正義を樹立し、国内の平穏を保障し、共同の防衛に備え、一般の福祉を増進し、われらとわれらの子孫のために自由の恵沢を確保する」意図を持つのだと。ちなみに「共同の防衛」という理念も入っているのだ。もし私たちがアメリカの憲法に誇りを持ち、その目指すところを知るなら、その起草者たちの大志を自分たちの生きる時代にも適用するべきだ。

物事を耐え抜き、医師にかかるのを避けることは、二〇〇年前であれば意味があったかもしれない。退院するとそのまま新型コロナウイルスのパンデミックに巻き込まれて「自粛」を余儀なくされた私は、小学校に通う子どもたちのオンライン授業に付き合い、アメリカ独立革命に関する本を息子とともに読んできた。親子して私たちは、ジョージ・ワシントンが三人の医師によって四度も瀉血《しゃけつ》を施されたあげく死去したことを知った。おそらく医師を呼ばない方が病状はよくなったのだろう。ベンジャミン・フランクリンは、ジョン・ジェイに、自分は病《マラディ》より医療を恐れていると書き送ったが、当時、これは道理に叶った言葉だった。独立革命についてのロマンチックな考えを一蹴するには、怪我人がどのように治療されたかを知ると良いだろう。当時は感染症についての知識がなかったから、医師たちは手も洗わず、手術器具の消毒すらしなかった。野蛮な切断術はあたりまえで、膿や患部の腫れは感染ではなく、回復の兆しとされ、火傷の治療は瀉血だった。入植者の寿命は四〇歳ほどで、彼らが奴隷として使役したアフリカ人の寿命はさらに短かった。ヨーロッパからもたらされた天然痘などの疾病は、大陸の先住民の命を急激に縮めた。

私は、正義と平穏、福祉に価値を置いたこの国の建国者たちが、医療の歴史における彼らのみじめな時代を私たちに受けついで欲しいなどと願ってはいないと思っている。彼らは断じてそんなことは言っていないのだ。実際に、彼らが交わした書簡のなかには、自分たちの病、友人たちの病気、そして誕生したばかりの共和国の都市を荒廃させる疫病についての憂慮がみられる。[*24] 当時は知られていなかった黄熱病のパンデミックのおかげで、ある年には議会が開かれなかった。[*25] 今日《こんにち》の私たちは、黄熱病が蚊によって媒介されることを知っているし、ワクチンも開発されている。ベンジャミン・フランクリン、トーマス・ジェファーソン、そして彼らの仲間たちは、黄熱病、天然痘を始めとする疾病からアメリカ人を守ろうとしたが、現代の私たちはそれらのためのワクチンや治療法を確立している。ジェファーソンは、良き人生を成り立たせる要因として、健康は道徳性に次ぐほど重要だと考えていた。

今日《こんにち》の私たちは自然界についてより進んだ知識を備えているのだから、医療を人権としてとらえることができる。憲法もそれを阻んではいない。それどころか、憲法の起草者たちはアメリカ憲法修正第九条において「この憲法のなかに特定の権利を列挙したことをもって、国民の保有する他の権利を否定しまたは軽視したものと解釈してはならない」と明確に述べる聡明さを持っていた。これは医療の恩恵を受ける権利のための余地を残しているということだ。もし私たちがジェファーソンが独立宣言に盛り込んだ自然権――「生命、自由、および幸福の追求を含む不可侵の権利」――を受け入れるならば、そこには医療を受ける権利も含まれるのだ。もし生命の権利があるならば、私たちは生存する手段への権利を持っている。もし幸福を追求する権利を持つならば、私たちはそれを可能にする医療を受ける権利を持っている。ジェファーソンが思慮深くも言ったように、健康のないところには幸福はありえない。自由への権利は医療を受ける権利を含んでいる。私たちは病を得ている時には自由ではない。そして苦痛にあえぐ時、あるいはこれからかかる病気を心配する時、支配者たちは私たちの苦しみにつけこみ、嘘をつき、私たちの他の自由をも剥奪してしまうのだ。

†2　「夢の薬」は、fancy chemical と原著に記してあるが、著者によればこのファンシー・ケミカルは特定の薬を指しているわけではないとのことである。

第2章　再生は子どもたちとともに始まる

私の病院の日記には、子どもたちが一月に何をしていたかが記されている。「サッカーの練習をもっとした」「友だちのEとAがウチにくる」「学校が始まる」。息子と娘が、私が体調を崩していることを知っているのに、朝早く起きてちゃんと学校に行っていることを誇りに思ったものだ。あまりにも体調が悪くて彼らの見舞いを断った時には、彼らがどのように過ごしているかを妻が教えてくれた。子どもたちはメモを書き、絵を描いてくれたので、私はそれを壁にテープで貼ったり、たたんで日記に挟んだりした。ようやく少し動けるようになった時、彼らは私を一度に一人ずつ見舞ってくれた。娘は私を抱きしめたがり、食事を食べさせてくれた。息子は私にこう言った。「パパが死ぬ夢を何度も見たんだよ」。

入院中はもちろん、退院してオフィスに戻り、さらにその後はパンデミックのせいでオフィスに入れなくなってからも、私はずっと子どもたちのことを考え続けた。病気が最も重篤だった時期に感じた怒りと共感は彼らに関わっていたが、そうした感覚がゆっくりと溶け去った後でも、激しい感情が残った。彼らが失ったであろうもの、私が、そして私たち家族が失ったであろうものはあまりに大きかったので、数日間だけ抱えていればよいという具合にはゆかなかったのだ。彼らの学校が閉鎖され、一日じゅう自宅で彼らと顔を突き合わせるようになっても、その苦しみは昼夜を問わず私につきまとった。私は彼らを家じゅう探してまわり、夢にまで見る始末だった。

ある夜、私は悪夢を見たあと目覚めると、子どもたちが誕生してからの数年間の写真をバックアップしていなかったことに気づいた。すぐに跳ね起きて、ベッドから出た。私の見た夢は、子どもたちと離れていたという意識を少しでも癒やそうとするやり方を教えてくれていたのだ——過去を記録しておくことは子どもたちを私と結びつける方法だったし、体が弱った状態でも何とかやれる行為だった。私は古いコンピュータを引っ張り出し、何とか起動すると、ハードドライブを動かして作業を始めた。古い写真をバックアップしているあいだは、一〇〇〇分の一秒単位の思い出が、次々とモニターに映し出された。写真の順序は年齢的には遡っていった。バックアップは青い毛布にくるまり手袋をはめた生まれたばかりの息子の写真で終わった……終わったのでなく、そこが始まりだったのだろうけど。

たしかにこれらの写真は私自身の子どもたちのものだったが、私が感じた苦悶は誰もが感じるものではなかろうか。子どもの誕生はそれぞれの親にとって特別なことだが、それでいて親の立場にある者たちには共通するものであり、人生のどんな体験とも異なっていながらこの惑星のどこでも共有されている。これら一万四八一〇枚の画像が私にこの一〇年間を遡らせた時、私は誕生とともに始まる命の再生を思い描き、その過程を楽なものにしたり困難なものにしたりするのは何だろうかと考えていた。青い毛布と手袋は息子が生まれたオーストリアのウィーンの公立病院のものだったが、この病院とウィーン市が私たちにとって事態を楽にしてくれたのは間違いない。マーシと私にとって初めての経験だった、妊娠と息子の誕生を通じて、私たちは良い医療とはそのなかにいてどのような感じがするものかを教えられた——心が落ち着き、費用が安くすむことだった。

二〇〇九年から二〇一〇年にかけてウィーンの産科に世話になった期間、私たちはほとんど何も払わないで済んだ。月々のささやかな保険料の他には、少額の往診料だけだった。私たちに紹介されていた自由診療の医師[†3]には、たいした額ではないにせよ余分の受診料を払ったが、産科医の診療は無料で済んだ。妊娠期間とそれに続く息子の出生と育児を通じ、妻はハンディな「マザー・チャイルド・パスポート」(母子手帳)を持ち歩くことになったが、それは国じゅうどこでも受け入れられ、通院や検査結果、予防接種について記入された。妻が病院や診察室を訪れる時は、看護師や医師はパソコンのモニターを見るかわりに、私たちに丁寧に挨拶してくれて母子手帳をお見せくださいと言ったものだ。

ウィーン市のおかげで、私たちは補助金で開催される楽しい両親学級に参加することができた。オーストリア人は普通は外国人には標準ドイツ語で話すが、くつろいだ場では方言を使う。こちらは理解するのはなかなか難しい。良くわからない理由から、私はマットの上でボールやベルを使ったルーティンに励んだ。だが両親学級は楽しく、妊娠期間の生活リズムを社交的なものにしてくれた。参加したカップルはどれもがほぼ同じ時期に妊娠していたので、私たちは妊娠期間の段階が進んでも顔なじみの人たちと継続的に会っていたから、私たちの胎児と一緒に育ってゆく他の胎児らの両親たちと友だちになった。

私たちは、分娩まで妊娠のすべての段階で、外国人の身であってさえ、医療システムが胎児と自分たちのために作られているように感じたものだ。アメリカの商業的な医療システムのなかで感じる気味悪さは、オーストリアでは一瞬たりとも感じなかった――何かがなされたりあるいはなされなかったりするのはなぜか、奇妙な言い逃れの言葉はどうして発せられたのか、医師や看護師が妙な行動をしたりその場からいなくなったりするのはなぜか、といったようなことを当て推量する際に感じる気味悪さのことだが。アメリカでは、隠れた論理が出来事に大きな影響を与えているとしばしば感じることがあるが、実際にそうした論理があるからそう感じるのだ。そしてその隠れた論理とは何かといえば、利益という論理なのだ。オーストリアでは、医療の目標がこれから生まれてくる子どもの幸福にあることは明瞭だった。社会福祉制度を利用するのと引き替えだから、出生前の病院訪問は必須だったのだ。

利益の論理と生命の論理の違いは、医療のタイミングから推し量ることができる。オーストリアの女性は、妊娠の第三期になると、出血とか破水、あるいは陣痛が二〇分おきになれば病院に来るよう指示される。ところがアメリカでは、妊婦はもっと待つように指示され、陣痛が三分か四分おきにならないと入院できない。アメリカでは、赤ん坊がしばしば車のバックシートで生まれるし、母親や新生児が命を落とすが、その理由の一つがここにある。アメリカでは妊婦が早く入院し過ぎてベッドが長く占有されることを恐れる。けれど、オーストリアでは、健全な出産のため妊婦が余裕をもって入院できるようにシステムが構築されている。

ウィーンでマーシが産気づいた夜、私たちはすぐに公立病院の清潔で静かな部屋に入院できた。一枚の紙にサインさせられただけだった。早くやって来過ぎたのではと心配したが、家に帰らなければならないというプレッシャーは受けなかった。マーシの分娩は長時間かかり、しかも困難で厄介なものだったので、そのあいだずっと病院にいられるのはありがたかった。赤ん坊が誕生してから、母子は九六時間病院にとどまることを要請されたが、これは新生児が好調なスタートを切り、母親が母乳で育てるのを学べるように、という心配りからだった。

午前九時から午後五時まで面会が許されていたので、私はこのやり方がどんな風に役立っているか知ることができた。毎日、両親のために赤ん坊の入浴とおむつ替えのクラスが開かれた。看護師たちが病棟をまわり、母親の乳首と赤ん坊の口がうまく合うようにし、指示を与えていた。母親になったばかりの女性たちは、アメリカ人なら期待するプライバシーは保証されなかったが、赤ん坊を第一に考える有資格者たちが絶え間なく注意を払ってくれた。看護師たちは、母親たちが母乳による育児をどう考えているかなど気にしなかった。母乳による育児がたしかに始められるためのプログラムに沿って行動していたのだ。看護師たちは自分たちが何をしているかちゃんと弁《わきま》えていたし、四日経つと赤ん坊も母親も授乳に充分慣れてきた。オーストリアではほぼ九割の母親が母乳育児について習う。私たちが退院する時は、母親も赤ん坊もしっかり用意ができていた。私たちは、どのような書類にもサインする必要はなく、費用も支払わなくてすんだ。

こうした出産教室のあいだ、私は皆の哀れみの対象になっていた。どの集まりでもカップルのための指示が出され、私と妻は一緒のマットに座り、体のさまざまな箇所の名称がウィーンのスラングで発せられるのに戸惑った。それから男性と女性が分けられて、それぞれで共通の関心事について話すよう求められたが、私はアメリカ人の男性がこういった機会に何を話すべきかが良くわからなかった。オーストリアの父親たちは、彼らの社会福祉制度が彼らに与えてくれる自由について話した。彼らは、育児休暇を三種類のオプションから選べたが、それらは私にはどれもありえないほど寛大なものに思えた。彼らは、二年間の有給の育児休暇をどうやって母親と父親で分けてとるかを決めようとしていた。私は新しくできた友人たちに、私と妻は私の大学のおかげでなかなか良い契約になっていると話したが、彼らはパートナーの片方に対して一学期だけの育児休暇というのでは、悲しいほど不足していると感じたらしかった。私がアメリカの育児休暇の標準について話すと、彼らの表情は恐怖めいたものに変わった。母親が一二週間休みを取れるといっても、そのあいだは無給であり、しかも父親は休暇が取れないのは彼らにとって実に野蛮に思えたらしい。彼らの言うとおりだった。アメリカの制度はたしかに野蛮なのだ。そしてその制度は、両親と子どもの双方から自由を奪ってしまう。

彼らが指摘した点であり、私が気づいて恥じ入った点でもあるのは、夫か妻のどちらかに三ヶ月の育児休暇が許されるのは寛大だ、と受け止める私の考えそのものが、マーシがほとんどのアメリカ人より恵まれた待遇を受けているという私の知識からもっぱら来ていることだった。そうした私自身の姿勢が、アメリカの医療の総合的な問題に加担してしまっていたのだ。医療に関しては私の立場は他のたいがいの人間よりましだ、という相対的な満足感が、アメリカの医療システムが全体としてみればいかにひどく、劇的に改善できるところがいかに大きいのかを理解するのを妨げていたのだ。どんなアメリカ人も、私と妻が取得したものより長い育児休暇を取れるべきだし、取るべきだ。もしオーストリアで可能なら、なぜ私たちにはできないのだろう。地位や富にかかわらず、オーストリアの国民ならば誰もが私より良い選択をすることができる。私は、医療と公的なサービスの利用についてはいまいましな多くのアメリカ人と同じように、それまで所詮は騙されていたのだ。私の友人たるオーストリアの父親たちが思慮深くも提案したように、誰もがオーストリアでと同じオプションを受けられるべきであり、それらのオプションによって、家族が育児をうまくやってゆけるようになるべきなのだ。

息子が生まれた後、私は息子とともに時間を過ごしたかったし、妻には少しばかり私たちと離れられる時間を与えたかったので、授乳の合間に息子とともにウィーンの街を歩いた。ベビーカーを押して街じゅうを歩くのは楽しかった。私としては、いずれにせよそうしたそぞろ歩きをしていただろうと考えたいところだが……ここで、政策がどのように慣例を変え、慣例がどのように行動の基準を変えるかを認識することが重要なのだ。ウィーンでは、育児休暇のおかげで、男性にとっても赤ん坊を連れて歩くのは当たり前のことだった。ときおり出くわす他の子どもの父親たちと会釈を交わし合うのは楽しかった。父親だということはなんて素晴らしいんだ、とお互い無言で言い合ってでもいるように。また、息子が寝ているのを幸いに立ち寄ったカフェで、ウェイトレスやウェイターに親切に扱われるのも気持ちの良いものだった。

こうした出会いのおかげで、ドイツ語に対する私の姿勢は変わり始めた。二〇世紀の恐怖のせいで、ドイツ語は私にとって死の言語だった。だが舗道を歩いている年配の女性たちが私の息子を可愛い可愛いと褒めてくれた時、ドイツ語は生命の言語となったのだ。

二年後に二人目の子どもがアメリカで誕生した時には、事態は異なった。

息子の場合は、陣痛促進剤を使わず、帝王切開もなしに生まれた。陣痛のあいだ、ウィーンの公立病院の産科医たちはアメリカの産科医たちならそうであっただろうよりも、はるかに辛抱強く妻に接してくれた。妻は二度目の妊娠の時に四〇歳を迎えたが、そうなるとアメリカ流の分娩の手順で、予定日までに陣痛を促進するという事態を招いた。こうした手順にはほとんど意味がない。単純に年齢だけが問題であるのではなく、彼女の年齢の女性に伴いがちの体の状態がどうかが問題なのだから。

大きなことでも小さなことでも、機械的な手順が患者と医療従事者のあいだに立ちはだかる。コンピュータのプログラムは請求書のためだから、基本的な人間の欲求を考慮に入れることをしない。手順を追うことに慣れている医師や看護師は、実際の患者を無視するよう再教育を施される。入院していた私は、いくつかこうした実例を日記に書きとめておいた。

私はスケジュールに従った投薬を受けていた。それぞれの投薬の時間と量を書きとめたが、それは彼らのシステムに対する信頼をなくしていたからでもあり、夜は眠りたかったからでもあった。痛みに対しては、六時間おきにアセトアミノフェンを服《の》むように指示されていた。私は、六時間が経ったからというだけで起こさないでくれるよう、看護師たちに頼んであった。ときどきはこの頼みどおりになったが、そういかない時もあった。薬を服み忘れた時、私はスケジュールを設定しなおして欲しいと頼み、次の服薬は、私が服み忘れた薬の六時間後ではなく、いつでも良いのだと説明にこれ務めた。看護師たちはある時は私に同意し、ある時はパソコンのモニターに従った。夜には、それぞれ一〇時、一一時、そして真夜中に服む薬があった。機転が利き、やる気のある看護師が、昼の服薬のタイミングを変えてくれたので、何日かかけてずらすことで、私は同じ時間に三種の薬を服んで眠りにつくことができた。馬鹿げたことだが、患者が眠るのを助けることは、この場合はシステムに反することだった。別の看護師なら、コンピュータの指示どおりにすると言って聞かず、アルゴリズムを満足させるためだけに私を起こすこともありうるわけだった。

たとえば妊娠のようにもっと重要なケースでは、モニターに従うことの対価ははるかに大きくなる。コンピュータのプログラムが、人による知的な作業なしに「妊娠　イエス」と「四〇＋　イエス」とモニター上でフラッグを立て、こうした陣痛の促進がこれこれの日付までに行われなければならないと指示した時、医療従事者はその女性の様子がそれまでどうであったかに耳を傾けるより、モニター上に示されるアラートをなだめる方が簡単だと思ってしまう。そして彼らの注意は、もう一人の人間を産みだそうと必死に努力している人間から、アルゴリズム――妊婦のことになど気配りをしない血の通わないコード――の方に目立たぬうちに向けられてしまう。私の妻は壮健で胎内の赤ん坊も健康だったにもかかわらず、私たちはこの機械的な論理にからめとられてしまった。私たちは、陣痛促進剤を使うことなく分娩が始まるのに要した三〇分のために、病院スタッフと戦わねばならなかった。ありがたいことに、二度目の分娩は最初の場合より簡単で、しかも早く済んだ。

赤ん坊が誕生したあと、ふたたび時計が動き出した。今度は私たちを産科病棟から追い出すための時計だった。今回、妻は小さな部屋に一人きりで置かれ、ウィーンではおなじみだった他の母親たち、赤ん坊たち、看護師たち、父親たちのざわめきから遠いところにいた。苦労しながらようやくのこと、彼女はかつて習った母乳の赤ん坊への飲ませ方を思い出したが、人生の始まりという決定的な時間に手助けしてくれる者はまわりに誰もいなかった。たしかに、図解された乳房のイラストと電話番号を記したコピーはあったが、何をすべきかわかっている看護師がつきっきりでいてくれる代わりにはとうていならなかった。山ほどの書類と極端な額の請求書も貰った。電話番号は授乳相談のコンサルタントの番号で、私たちは結局は彼女に会いに出かけた。アメリカでは、良い保険に入っているか、それとも余分に金銭を支払わなければ授乳相談のコンサルタントには会えないし、ほとんどの人間はそんな条件を満たしていない。このように、不平等は彼らの人生の最初の瞬間から赤ん坊の生きる力に影響してしまう。不平等な人生の始まりを押しつけるのは「すべての人間は生まれながらにして平等である」という独立宣言の理念に何の敬意も払っていないことだ。[*1]

私たちは、ゆりかごから墓場まで商業主義的な医療システムに漬かっているが、それは私たちがそれを選択したからだ。もっと優れたやり方があるのだ。オーストリアで息子が生まれ、病院を退院する時に、私たちは赤ん坊用の服や毛布のセットが詰められた、紙おむつを入れるためのバックパックを渡された。またウィーン市が提供するさまざまなサービスが記されたガイドも貰ったが、それには赤ん坊の世話をする母親たちに対する個人的なサポートや、公的な児童保育、それに公立の幼稚園や学校が記されていた。両親が小児科医のところへ子どもを連れていけば、そして受けた予防接種をその都度「母子手帳」に記すならば、そういったものはすべて無料なのだ。

一歳と三歳の子どもたちを連れてふたたびオーストリアに戻った時、私たちは労働者階級の多いご近所の公立幼稚園の質の高さに驚いた。そこは、アメリカで経験した個人経営の託児所や幼稚園の心地よさや上機嫌な雰囲気を兼ね備えていて、月四〇ユーロというランチの費用を除けば、すべて無料だった（ランチが地元で調達されていることが市の誇りの一つだった。それぞれ一回ずつあったが、シェフたちとの夕べの会はもとより、親と教師の一時間ほどのミーティングのテーマがランチだった）。

三歳の息子は三歳から六歳のクラスに入れられ、年上の女の子が面倒を見てくれた。新しい環境のなかで、息子の先生は彼が必要な助けを受けられるように気を使ってくれた。私たちは、クラスのなかで最も幼く、オーストリア社会が必要とする秩序に不慣れな息子が引き起こすトラブルに、少しばかり罪悪感を覚えた。彼はよちよちと歩きながら、年上の子どもたちが作った複雑なブロックの模型を嬉しそうになぎ倒したので、私たちはそれを申し訳なく思った。だがそれを話題にした時、担任の先生の眼にはきらめきが宿っていた。彼女は優しくこう言った。「でも、何かを壊すのはきっと楽しいんでしょうね」。

私たちが、学年を終えた後で息子をアメリカに連れて戻ることを知った時、先生は私たちの前で涙を流した。

オーストリアで生活したあとでアメリカに戻ると、アメリカでの生活に適応する努力が毎回必要だった。アメリカの親たちが、自分の子どもたちには無我夢中でかかりきりになるのに、なぜ他の子どもたちに接するのを躊躇するのかが良くわからなかったせいだ。

息子が一歳か二歳の時に通っていたニューヘイヴンでの音楽教室では、子どもたちは世話係の前で輪になって座っているのだが、世話係の前に座るのを子どもというのはしばしば拒否するものだ。そしてその輪を超えて別の子どもや親の方に這っていったり、よちよちと歩いていったりした。私は子どもたちがそばにやってくるのがいつも嬉しかった。せんじ詰めれば、子どもたちがカーペットのどのあたりでドラムスティックを打ち鳴らそうとたいした違いはなかろう。だが勝手気ままなハイハイやよちよち歩きは、つねにちょっとしたドラマを引き起こした。世話係は子どもたちがずーっと自分の目の前にいなければならないと思い込んでいたので、タンバリンに当てられた一時間は、大人たちが足を組んでリラックスしている振りをしている姿勢から跳ね上がって、言うことを聞かない子どものあとをあわてて追いかけるのに費やされた。ある幼児などは、何度も私と息子のそばに急いでやってきた。彼が私たちを覚えてくれているのを知って私も嬉しかった。ところがある週、彼の母親が私をとげとげしい口調で罵った。「一歳半の子どもを磁石みたいに惹きつけるあなたって、いったいどういう人なのよ？」

私はこの言葉にびっくりした。子どもから笑いかけられる大人が、その子に微笑み返すのは素敵なことではなかったのか。小さな男の子が、家族以外の人と親しげな交流を持つのは良いことじゃないのか。家から出て幼児の音楽教室に通うことは、社交性を身につけるためではなかったのか。音楽教室に通い始めて数ヶ月、私は親しくなった一人の母親と、こうした緊張感について話す機会があった。私は、なぜ子どもが自分のすぐ目の前にいないと、母親たちが不安に感じるのか聞いてみたが、それに対する彼女の答えはまことにたくさんのことを考えさせてくれた。「たぶん一日の終わりになると、私たちがこれをたった一人でこなしていることを思い知らされるからじゃないかしら」。

母親（と父親やその他の庇護者）が、彼女と同じように感じないで済むアメリカというものを想像してみて欲しい。私も妻も、ウィーンではそう感じることはまったくなかった。人びとはベビーカーに進んで道を開けてくれたし、頼まなくてもドアを抑えてくれた。私はある朝のことを思い出す。ベビーカーに乗せた娘と、ベビーカーの後ろについている板の上に立っている息子と一緒だった。地上に駅が出ていたが、子どもたちを間に合うように保育園に連れていくためにはそれに乗るしかないという地下鉄の列車に乗ろうと急ぎ足になっていた時のことだ。太陽を背に受けながら、私は地下鉄のウィンドウ越しに乗客たちがドアを開けるボタンを押し、それからベビーカーや私たちが何とか乗り込めるように場所を空けてくれるのを目にした。

こうした幼い子どもやその両親に対する態度は、別にオーストリア人がアメリカ人より親切だからだというわけではけっしてないのだ。それは、片方の親では、いや家族皆の手があっても、子育ては他の人びとの助けなしにはやっていけないという理解に基づいているのだ。私たちを助けてくれた公立病院や公立幼稚園、そして公共の乗り物（どの地下鉄の駅にもエレベーターがあった）といったシステムは、たんに子どもを持つ家庭への一方通行の贈り物ではない。それらは、人びとを結びつけ、一日の終わりになって自分たちは孤独ではないんだと思わせてくれる、連帯を支える社会基盤《インフラストラクチャー》なのだ。

わが国では、子どもの誕生に伴って、「アメリカの自由の物語」が死んでしまう。私たちは、新しい生命をこの世に送り出すことで「勇ましい個人主義」が不可能になってしまう事情について、語り合うことはけっしてない。私は、幼い子どもたちの親であると同時に自由な人間であるためには多大な助けを必要とした――子どもを産んで母乳で育てている身ではなく、父親として利用できるあらゆるアドバンテージを持っていたのにだ。さらに私たちは、子どもたちが誕生時から、できるかぎり自由な人生を送れるように保証してやるためには、どんなことをする必要があるのかも口にしたりしない。

私たちは、自由というものを制約のない状態と思い描いているし、なるほどそれは自由の重要な要素だ。だが、人の一生の始まりは、自由だけでは不充分なことを示している。制約のない状態でも、一人放り出された新生児を自由と呼ぶことはできない。子どもたちにとって、他の人たちが（自分たちの）自由に寄与してくれることは、両親にとってそうであるより、ずっと重要なのだ。

子どもたちがごく幼い時にどう扱われたかは、彼らの残りの人生の過ごし方に多大な影響を与える。おそらくそれこそ、現代の科学者たちが、健康と自由について私たちに教えなければならない最も重要なことかもしれない。[*2] 一九世紀の科学者たちは、想像でなく事実に頼ることを導入して、どのように疾病が広がるかを説明したが、それはより長く自由な人生を送るために役だった。二〇世紀も終わりに近づくと、科学者たちのグループが、幼児期がその人間の残りの人生に大きく影響することを理解するに至った。大人たちにとって、これを認めるのは勇気のいることだ。なぜなら自由を気にかけることは、子どもたちを気にかけることと同じになるからだ。だがもし子どもたちを気にかけることができるならば、私たちは自由に生きる人びとのための国を再生させることができるだろう。

人びとが、自由な大人として振る舞うために必要とする能力は、私たちがごく幼いあいだに養われる。[*3] 私たちが他に存在しない唯一無二の人間に成長する過程で使われるスキルは、頭脳がほぼ通常の成人の大きさに成長するまでの最初の五年間で形成される。嬰児や幼児が他人と交流するなかで、意思や言葉や思考が発生する。[*4] 私たちが、失望から立ち直ることや、楽しみを先伸ばしすることを学べるのは、ごく幼いうちだけなのだ。そして膨大な研究は、何がこれらの能力を成長させるかを明らかにしている――人とのかかわり、遊び、そして選択だ。

自由であることは、自分が興味を持っているのは何かを意識し、興味を充足するために何が必要かを知ることも含む。プレッシャーのなかで人生の制約について思考するには、感情を経験し、それに名前をつけ、そして調節することが必要だ。[*5] 自由は選択と関わっているが、私たちは自分に見えている選択肢から選ばざるをえない。恐怖にとらわれている時は、私たちと彼ら、闘争か逃避というように、すべてを二元論で見てしまう。自分たちの感情を名づけてそれを調節できる子どもは、ストレスに晒されている時でさえ、肯定的な感情の存在する余地を広げることができる。こうした肯定的な感情なしでは、私たちの自由はお寒いものになる。[*6] というのも、危機に際して必要とされ、好調な時期にはそれを使って発展できるような、さまざまな避難の方法や新規なアイディアを見いだせなくなるからだ。

自由というもののパラドックスは、助けなしには誰も自由でいられないことだ。自由は孤独なものであるのかもしれないが、それと同時に、連帯なくして自由はない。孤独のなかで自由を味わうことを学んだ大人は、子ども時代の連帯から恩恵を得ている。つまるところ、自由とは、いくつもの世代を越えて支払いを受け、返されてゆくローンなのだと考えられる。子どもは、人生の最初の五年間に、きわめて強力な、心のこもった配慮を必要とする。[*7] こうした特別な時間は、子ども同士で与え合うことは無理だし、いわんや大人同士では無理だ。子どもは、こうした特別な時間を大人からのみ得ることができる。そして後になって彼らが成長してから、これから生まれてくる子どもたちのために、そのローンを返すことが可能になる。自由な国は、こうして何世代にもわたって繁栄するのだ。

アメリカで子どもを育てようとした者なら誰でも、子育ての時間がきわめて得にくいことを痛感しているることだろう。[*8] 子どもには、信頼にあふれた人間関係や、体系化されない遊び、彼らに選択をさせるような活動が必要だ……そう口にするのはたやすい。それをアメリカの親に声高に言えば、最善の場合でも、忍耐強い微笑みが返ってくるだけだろう。両親がともに働いている場合、どうやったらそんな時間を作れるのだろう。私たちはその答えを知っている。新生児が生まれたあと、母親たちが四日間、産科病棟にとどまるという法整備が必要だ。そして両親の双方に、充分な育児休暇、先を見越した仕事のスケジュールの管理、有給の病欠休暇、公的な保育、有給のバカンスが与えられるべきだ。これらのことは多くの国々で標準的に行われているから、アメリカでも可能なはずだ。

母親と家族には人生の難しい局面——その一つに妊娠と育児が数えられる——を乗り切るうえで、平穏な生活が必要である。子どもたちが学ぶのに適切な公立学校や、信頼できる年金受給を期待できる家庭は、自分たちの人生についてさほど心配しないですみ、子どもたちにもっと時間を割くことができるようになる。そして、仮に両親はじめ子どもの世話をする者たちが、自分たちも子どもたちも医療を受ける権利を持っていると思えるようになったなら——そうなれば、子どもたちが自由になるのに力を貸すために必要な時間や忍耐力を、もっと多く手に入れることができるようになる。

†3　著者によれば、この場合には、あえて英語にするなら elective doctor になるだろう Wahlarzt という治療費の一部が戻ってくる医師でなく、全額自己負担の Privatarzt という医師だった。訳者は、二〇一八年五月に亡くなった年若い友人鈴村直樹からオーストリアの医療制度について何度か聞く機会があった。

第3章　真実が私たちを自由にする

二〇一九年一二月一五日の虫垂切除手術の後、私は他の人びとに対し、奇妙に強い一体感を覚えるようになった。誰も教えてくれなかったが、私の肝臓はすでに病原菌に感染していた。体の衰弱のせいで、他人とより近しい気分になり、彼らの話にもっと心を開いて耳を傾けるようにもなった。私は以前なら見過ごしていたもの、たとえばクリスマスが近づくと教会の正面に書き出される言葉などにもしっかり気を配るようになった。ニューヘイヴンのダウンタウンにある告知板では「このクリスマスには、私たちは移住する家族のうち一つを祝い、残りの家族たちは隔離し、拘束し、国外追放するつもりでしょうか」と問うていた。これはマリアとヨゼフの物語、つまり家から遠く離れたところで出産した女性の困難な旅を思い出させるものだった。そしてマリアらが味わった窮状と近くの拘留所にいる不法滞在の移民との対比は、予想したよりはるかに私の精神を参らせた。

私の虫垂を切除した外科医が旅行しても大丈夫だと言ってくれたため、かなり前から計画していたクリスマス休暇だったので、フロリダに親戚たちが集まるのに加わるべく旅をした。フロリダのビーチにいればおそらく回復できるだろうと思ったのだが、事態は違う方向に転じてしまった。手と足とがずきずき痛み出したので、私は一二月二三日の朝にフロリダの病院に入院したが、診断がつかないまま翌日に退院させられた。そしてクリスマスの日には倦怠感《マレイズ》を覚え、二六日から二七日にかけてますます調子が悪くなった。私は軽い幻覚を見るようになり、見知らぬ人びとの顔に知人の顔を重ねるようになった。道行く人びとが私の兄弟に似て見えたのだ。一二月二八日の夜になって、私と子どもたちはマーシに連れられてコネティカットへ帰る飛行機に乗り込んだ。そのフライトは私にとって不快としか言い様がないものだった。

一二月二九日、ニューヘイヴンの病院の救命救急室の、黄色いカーテンがかかったアルコーブで一七時間過ごし、肝臓にドレーンを挿入する処置を受けたあと、私は年末の残りと新年の最初の数日は病室に入れられ、怒り、熟考しながら過ごした。中国人の男性と同室だったが、彼もまた、さまざまな苦痛に悩まされていた。彼は、私がその部屋に入った時に英語で二言話し、私が出て行く時には四つの単語を口にした。そんな具合だったから、医師と看護師たちは、通訳や彼の家族に助けを借りて、彼とコミュニケーションを図った。そのため、大量の個人的情報と医学的情報が、声高に、ゆっくりと、繰り返し語られることになった。

この同室の男性は、私より一四歳年長で、レストランの皿洗いとして生計を立て、標準的な中国語でなく広東語を話した。五〇年間にわたって毎日タバコを吸い、酒を飲んできたが、入院時はニコチンとアルコールの離脱症状に苦しんでいた。この事実を知って、私は彼の友好的な振る舞いや丁重さをさらに高く評価するようになった。私が散歩しているのを見て、彼は自分も同じようにできるのではと思いつき、廊下ですれ違う時は愛想良く微笑んでくれた。テレビを見る時はヘッドフォンをつけ、私が寝ているのを邪魔しないようにしてくれた。

彼は中国から戻ってさほど経たない一月一日に入院したが、中国当局はその前日に新型コロナウイルスの存在を認めたばかりだった。まもなく私は、呼吸器の不思議な症状に悩まされ始めた。深い呼吸ができなくなり、しゃべるのが難しくなった。友人たちや家族は私が電話で数分話すあいだにも、疲れた様子で声が出なくなるのを心配していた。CTスキャンを撮ると私の肺は両側とも部分的に潰れていた。その時点でも、医師たちは、私の右の肺が肝臓の炎症によって圧迫されているのだろうと説明した。だがスキャンの画像によると、私の左の肺は右肺よりもさらに潰れていた。[†4]

同室の患者も、私と同じように呼吸器の症状を抱えていたが、それを克服したあと、別の複数の理由で病院にとどまっていた。狭い病室で彼の近くにいた私は、とうぜん彼がどのような治療を受け、その症状がどのように診断されるか観察することになったし、彼の病気の話に引き込まれた。血液検査はさまざまな方向を示したが、中国で食べた生の魚の寄生虫が問題の発端ではないかと推測された。彼の病気が癌ではないとわかった時が、私にとって病院での初めての幸せな瞬間だった。私が退院する時に、私は友人に頼んで、「くれぐれもお大事に」という言葉を中国語で記したショート・メッセージを彼に送ってもらった。同室者はとても親切な返事をくれたが、それは携帯の翻訳機能を使ったもので、「あなたも充分お大事になさってください」と書かれていた。

私の同室者の例は、医療が二つの方法で真実に辿り着くことを示している。ある場合には、治療とは患者とともに考え、患者の語る話に集中して、その意味を解き明かすことだ。彼の語る話はまとまって医師たちに告げられたが、コミュニケーションに要した努力のおかげで、医師たちはより彼の症状に関心を持ち、しかもそれを良く覚えているようだった。また、ある場合、医療とは検査の連続であり、実験に基づいて情報を得ることだ。これもまた、私の同室者にとっては大事なことだった。医師や看護師たちは、彼と直接コミュニケーションをとれなかったとはいえ、どの症状にどの検査が必要かわかっていて、その結果を解析することも知っていた。臨床的な知見と可能な検査の範囲内で、彼らは患者がどのような疾病にかかっていて、どのような疾病にはかかっていないかを突き止めることができた。

二〇二〇年の初め、アメリカの連邦政府はどちらの点でも私たちを裏切った。パンデミックの由来についての深く掘り下げた討論もなく、新しい疫病に関する検査の手続きも示されなかった。つまり一月には、連邦政府は、誰が見ても必要と思われること――つまり新型コロナウイルスに関する検査のやり方を習得し、それをアメリカ全土で大規模に実施すること――を怠ったわけだ。トランプ大統領の政府は、パンデミックに対処する意図を持つ、国家安全保障会議と国土安全保障省内の各部局を、国際開発庁のなかのパンデミックを予知するための特別ユニットとともに解体してしまっていた。[*1] アメリカの保健の専門家たちは、外国から撤退させられていた。中国に派遣されていた疾病対策センター〔CDC、アメリカ合衆国保健福祉省所管の感染症対策の総合研究所〕の最後の職員は、新型コロナウイルスが蔓延し始める数ヶ月前の二〇一九年七月に、アメリカに呼び戻されてしまった。[*2]

大統領は公衆衛生に責任のある複数の機関の予算を削減することを監督していたが、二〇二〇年の初めにはふたたびそれを削減することを宣言した。新年が始まる頃には、アメリカ人は、自分たちで決断したり、政府が何か行動を取るよう圧力をかけたりするのに必要な基礎的な知識を得ることを拒絶されていた。二月一日、合衆国の公衆衛生局長官は、次のようにツイートした。「バラは赤い／スミレは青い／#新型コロナウイルスのリスクは低い／インフルエンザのリスクは高い」。[*3†5] 検査がまだ行われていなかったため、彼は自分が何のことを言っているかわかっていなかったのだ。

二〇二〇年一月と二月、新型コロナウイルスは静かに国じゅうに広がっていった。[*4] この最も重要な二ヶ月のあいだ、つまり伝染の数字から迅速な対応が必要とされていた時、そして検査と濃厚接触者の追跡によってパンデミックを封じ込められただろう時、私たちは何一つ手を打たなかった。トランプは、与えられた警告を無視しながらも、自画自賛していた。[*5] 一月二四日、彼は新型コロナウイルスに対する中国の対応を称賛した。「中国は、新型コロナウイルスを食い止めるのに大きな努力を払ってきている。[*6] アメリカ合衆国は、彼らの努力と透明性を高く評価する。すべてがうまく行くに違いない。アメリカ国民に代わって、私はとりわけ習主席に礼を言いたい！」 二月七日、彼はその称賛を繰り返した。「習主席が大いなる成功に向けての作戦を主導するなかで、偉大な規律が中国国内で実行されている」と。[*7]

感染したと疑われるアメリカ人が二月にクルーズ船から退避させられてから、彼らは何百人もの非感染者とともに飛行機でアメリカ合衆国に帰還した。[*8] そして機中で感染した人びとが、国内を自由に動きまわってウイルスをばらまいた。弁解の余地のないこうした連邦政府の不注意さのせいで、新型コロナウイルスの感染拡大は保証されたのも同じだった。二月も終わりに近づく頃、トランプは私たちを救う「奇跡」について熱弁をふるった。「新型コロナウイルスは消えてしまうだろう。ある日、奇跡のように消え失せるに違いない」[*9]。

商務長官は、新型コロナウイルスはアメリカに職をもたらすだろうと予言し、商務省はアメリカの製造業者が医療用の防護マスクを中国に売るよう手配した。[*10] ところが事実はと言えば、国内で何千万人もの人間が職を失ってしまったし、アメリカの失業率は、一九二九年の大恐慌以来の高水準に達し、マスクの不足は多くのアメリカ人の命を奪った。[*11] 二月二四日、トランプ大統領は、新型コロナウイルスは「制御《アンダーコントロール》できている」というこれまでの主張を繰り返した。[*12] だがこれは真実ではなかった。三月初め、彼は望む者なら誰でも検査は受けられている、と言明した。だがこれも嘘だった。アメリカでは二月末までに三五二名を検査しただけだったが、これは私の家と同じブロックの先にあるハイスクールの最終学年の生徒数に過ぎない。[*13] 韓国は、その時点で七万五〇〇〇名に検査を実施していた。

二〇二〇年の最初の二ヶ月間、つまり拱手《きょうしゅ》傍観し、嘘で固めていたことによって失われた時間は、二度と取り戻せなかった。四月末までに、韓国は一日に一〇人未満の感染者を数えるだけになっていたが、アメリカ合衆国では一日に二万五〇〇〇名以上が新たに感染した。四月末までに、私が病を養っているコネティカット州のニューヘイヴン郡（人口は一〇〇万人に満たない）では、韓国全体（人口は五二〇〇万人）の二倍もの人びとが亡くなった。そして五月末までには、韓国の三倍の人びとが亡くなった。ニューヘイヴン郡の事例は偶然生じたものではない。アメリカの、新型コロナウイルスの死者が多い順に並べた七つの郡（county）は、数字の比較だけなら、死者数の多い国（country）トップ二〇のなかに含まれることになる。[*14] これらは単純な事実なのだ。

真実があなた方を自由にするからこそ、あなた方を抑圧する人びとは真実に抵抗する。どのようなカタストロフのなかでも——とりわけ彼ら自身がそれを引き起こした場合には——暴君たちは他者を非難し、あなた方が聞きたがる魅力的な要素を交えながら自分たちを正当化する。二〇二〇年の初め、人びとはアメリカには新型コロナウイルスが存在しないと聞きたがった。だが私たちにとって、自由な人間であることと、惑わされること、そのどちらもが可能ということはない。イギリスの首相ネヴィル・チェンバレンが一九三八年に国民に向かって彼らが聞きたがった言葉——「戦争する必要はないのです」——を語ったことで、歴史は彼を批判的に記憶している。一方で、歴史はウィンストン・チャーチルを好意的に捉えている。なぜなら彼はイギリス国民に対し、耳に入れなければならないことを語ったからだ——「ヒトラーは阻止されなければならない」と。

体調を崩す前、私は息子と娘に『指輪物語』を読んで聞かせていた。J・R・R・トールキンの描くサーガのなかの高潔な登場人物、魔法使いのガンダルフは、歓迎されない真実の語り手だ。彼には偉大な力があるが、自分一人で世界を救うことはできない。彼の使命は、脅威がさし迫っていることを他者に納得させて人びとを一致団結させることだ。何度も何度も、ガンダルフは彼より賢くない人びとに無視され、悪い知らせを告げる者として蔑まれる。人生におけると同様に、物語のなかでも、人びとは服従することの言い訳として無知を選択する——どうやったら私たちにそれがわかっただろう、私たちに何ができただろう、といったように。これはある意味で人間らしいことだが、自由であるためには適切な方法ではない。ガンダルフは最後に、知ることなしに自由は存在しえないと鋭く切り返す。脅威を確認してそれに備えをしなければ、人は命も自由も失ってしまう。知ることを望まないことは、圧政を求めることを意味する。疾病について知りたくないということは、あなた方の体を政治屋どもに監視させ、大量死に伴う感情を用いてあなた方を操るよう願うのと同じになるのだ。[*15]

真実は労苦を伴う。私たちの信じることや信じたいこと、あるいは信じさせられることと事実は、めったに併存しない。事実は、私たちが周囲の世界と自分たちの感情のあいだに適切な距離を置いた時に感知できるのだ。事実に至るまでには、つねに少しばかりの労力、そう、連邦政府のトップにいる人間たちがやりたがらなかった仕事が要求される。大きな問題が存在することを認め、検査や接触者の追跡を組織化するには、ほんの少しの努力、ほんの少しの勇気が必要なだけだったはずだ。その努力や勇気が欠けていたために、一五万人のアメリカ人が無駄に命を落としてしまった。

疾病の検査は、私たちの体と病原菌についての知識を反映する。私たちが検査を行う時、それは一時に一人ずつだが、社会に対して事実《ファクチュアリティ》をもたらす。検査から得られた知識は、よってあなたと社会についてのものだ。これは共有される——つまり検査をした側が知ることをあなた方も知るのだ。もし私たちが二〇二〇年の初めにアメリカ国民を検査していたなら、私たちは事実《ファクチュアリティ》を国じゅうに広めて、医師たち、その他のすべての人びとに何をすべきかを知らせることができただろう。

トランプは、自分が世界の謎の数々を理解していると称し、アメリカ人に奇跡を約束し、（マクベスの魔女の鍋の中にある）「イモリの目《アイ・オブ・ニュート》」のような馬鹿げたものを売り込んだ。彼は根拠もなしに（抗マラリア薬の）ヒドロキシクロロキンを推奨したが、それは患者の致死率が高いことで知られた薬だったし、おそらく投薬された多くの退役軍人の命を奪ったと思われる。[16] 納税者の税金をヒドロキシクロロキンに配分したことについて、まことに当然のことだが疑義を呈した連邦政府の職員は、解雇されてしまった。[17] また必要な設備・備品が不足しているのを報告した別の職員も、やはり解雇された。[18] こうして暴政《ティラニー》が続いてゆく。真実を告げる者は追放され、阿諛追従《あゆついしょう》の徒が群がる。その後トランプは、アメリカ人は殺菌剤を注射したらよいとまで放言をした。[19]

私たちは、新型コロナウイルスの検査をしなかった——おそらくプラトン以降、何千年にもわたって理解されてきた理由のせいだが。[20] そうなのだ。誰も悪いニュースは聞きたがらない。チェック機能のない支配者は、追従者《イエスマン》からは聞いておかねばならないことを聞かされず、次の段階では、おそらくは自分でも信じてしまっているフィクションをすべての人びとに伝えるのだ。やがてこれは、さらに悪いニュースとなってしまう苦痛と死につながるが、そこでまた同じ悪循環が繰り返される。いったんトランプが、感染したアメリカ人の数は少数であると聞きたいんだと決めたなら、この暴君を満足させるいちばん簡単な方法は、数えるのをやめることだ。トランプは、三月六日、感染したアメリカ人をクルーズ船に留まらせたいと主張し「数字はこのままであって欲しいね。自分たちのせいでもない船のおかげで、感染者を倍にする必要はないと私は思うよ」と発言した。[*21] 二ヶ月経って、何万もの不必要な死がもたらされたあとでも、彼は同じ姿勢を露わにし、「こうした検査をすることで、われわれは無様な姿を晒す羽目になるのだ」と述べている。[*22] 六月一五日に、トランプはこう宣言した。「われわれが今すぐ検査を止めるなら、あったとしてもごくごくわずかな感染者になるだろう」[*23]。五日後にトランプは「検査を遅らせるよう」命じたことで、自画自賛したものだ。

　こうした「マジカル・シンキング」は、独裁的であり、欺瞞的かつ無責任だ。[†6] それは、独裁者トランプの自分のイメージに対するナルシスティックなこだわり（「数字」）を、実際に生きている人びとの現実――このパンデミックは（スペイン風邪蔓延からの）過去一〇〇年のあいだのどのパンデミックよりも多くのアメリカ人を死に至らしめるだろうという現実――より優先させることを明らかにしたから、プラトンが使った言葉の意味で独裁的なのだ。そしてそれは、目をそらすことと行動することを混同し、検査をしないことと感染していないこととを混同したがゆえに欺瞞的である。トランプが検査するのを嫌がるからといって、それは私たちが健康であることを意味せず、ただ私たちが無知なことを示すだけだ。そして国民の命に関する責任を、彼自身と私たちの政府から他へ転嫁してしまうから無責任なのだ。トランプが「過失」など何もないと言い張るあいだにも、新型コロナウイルスは気づかれることもなく、治療もされないままアメリカじゅうに広がっていった。彼が「過失」は国外から来たのだと強調することは、国内では責めを負う者が誰もいないことを意味した。誰も責任を負わないのであれば、誰も何もしなくて良いということになる。

歴史家たちは、病気について正しい知識を得る前の人間たちが、それを他者──よく見られたのはそれまで不当に扱って来た者たちだが──のせいにしてきたことを知っている。一四世紀、キリスト教徒は、腺ペストを自分たちが金銭を借りているユダヤ人を殺害する口実にした。一五世紀、一六世紀と、ヨーロッパの船員たちは新世界にたくさんの病気を伝染させ、一つを持ち帰った。梅毒は、初期にはスペインの船員たちによって運ばれたため、イギリス人からは初めは「スペイン病」と呼ばれた。イタリア人はシェイクスピアと同じく「フランス病」と呼んだし、ポーランド人は「ドイツ病」あるいは「アメリカ病」、ロシア人は「ポーランド病」と呼んだ。そしてオスマン・トルコでは「キリスト教病」と呼ばれた。

伝染という事実が明らかになった時、ある人びとは人種全体を細菌やウイルスと結びつけ、あるいは隠れた敵が生物兵器をまき散らしたと主張して、その科学的な事実を誤って特徴づけた。アメリカの人種主義者は、黒人を病原菌の巣として描いた。[*24] ナチスは、性病、チフス、結核をユダヤ人のせいにした。スターリン主義者は疫病をアメリカ人の責めに帰したが、のちにロシア人はエイズをやはりアメリカ人のせいにした。早くも二〇二〇年一月には、ロシアは新型コロナウイルスをアメリカの生物兵器だと主張した。[*25] 中国も追いかけて同じ主張をしたが、一方アメリカのいくらかの政治家は、新型コロナウイルスは中国の生物兵器研究所の生み出したものだと責め立てた。[*26] トランプの新型コロナウイルス政策は破滅的だとわかっている共和党は、二〇二〇年秋の大統領選挙キャンペーンでは中国にすべての責任を負わせる計画を立てた。[*27]

疾病が外国からもたらされたと考えることは、本質的な事実を隠してしまう。どこで伝染病が発生しようと、私たちは誰もが皆かかりやすい存在である点では同じであり、したがって皆が責任を負っているのだ。他の集団をスケープゴートにすることは、私たちの精神を権威主義と同列に置くことになる。まず私たちは、自分たちは無辜《むこ》で優れているから免疫を持っているのだ、という独裁者の言葉を信じてしまう。その後病気にかかると――自分たちは無辜でしかも優れているのだから――誰かに不当に攻撃されたに違いないと信じ込む。次の段階では、私たちを無辜で優れていると嘘をついた独裁者が、私たちの苦痛や恨《ルサンチマン》みにつけこんで権力を拡大しようとする。トランプが国境を閉鎖する際に「見えない敵」を口にし、新型コロナウイルスの場合には「中国ウイルス」だと言いつのる時、彼は人びとを混乱させて死に至らしめた悪しき伝統に連なっているのだ。

中国政府には、感染爆発という現実を無視した責任があるのは確かだ。[*28] だがアメリカの政策は、中国政府が失敗したあとで、その失敗を繰り返すことになったし、しかもそれは中国よりはるかに長期間にわたった。その点については、責任はもっぱらアメリカ人にあるのだ。

トーマス・ジェファーソン、ベンジャミン・フランクリンなど建国の父たちは、啓蒙思想の申し子だった。人間の生命は自然を研究することによって理解できるという確信が一八世紀に表現されたのが啓蒙思想だった。啓蒙思想のモットーは「汝自らの悟性を使用する勇気を持て」だった。このモットーを追及した点で最も勇敢な者のなかに、一九世紀に民衆の知恵を覆して感染の原理を明らかにした男女がいた。[*29] このブレイクスルーは公衆衛生とワクチンの強制接種につながり、両者は二〇世紀に人間の生命を伸ばすのに大きく寄与した。

だが残念ながら、啓蒙思想などなかったとされてしまう可能性もある。私たち全員に感染するリスクがあり、したがって皆が検査を受けなければならないという事実に直面するには勇気がいる。トランプには勇気などなく、しかもあまりにも多くの人びとが彼の指揮に従ってしまった。世界についての知識（たとえば、感染した人びとの数、場所、身元）は、世界の残酷さ（たとえば、感染者数の指数関数的な増加）に対処する助けになる。仮に私たちが、自分たちが自然の一部であることを受け入れなければ、私たちは事態をコントロールして生き伸びることもできなくなる。[*30] 検査を受けない人びとは死亡する確率がより高くなり、新型コロナウイルスを広げて他の者たちを死に至らしめる恐れも高くなる。選挙民についての基本的なデータを取り上げられた州知事や市長などは、決断するのがあまりにも遅くなった。

ひとたび政治屋たちが無知と死を受け入れれば、彼らの次の動きは、脅かすようなことを言い、誰かに責任を負わせることだ。正しい質問を投げかけるジャーナリストや、命を守るため活動する地域の指導者たちは、追放《オストラサイズ》されなければならない。なぜなら、彼らは独裁者が卑怯者であることを天下に晒すからだ。トランプがやったように、己の行動で大量死を引き起こすような政治屋は、まずそれが避けられなかったものであって、自分たちの責任ではなく敵の仕業だと唱え、しかる後に彼ら政治屋にふさわしいやり方だが、死に瀕している人びとに責任を分担させようとする。死、そして死への恐怖は政治的な資源になりうる。独裁者は、すべての者に医療を行きわたらせるかわりに、人びとが死んでゆくのを見つめ、生き残った者たちの混乱した感情に便乗して権力の座にしがみつこうとするのだ。[*31] アメリカでは、最初に、しかも急速に亡くなったのは、概してトランプに投票しなかったアフリカ系アメリカ人だった。

独裁者は、病を好機ととらえ、生と死を分かつ正当性のある審判者《アービター》として前面に出る。トランプは大統領として、納税者の税金で購入した医療資源が、自分に対する州知事の忠誠心に応じて配分されることを明らかにした。連邦政府は自らが招いた大量死から撤退し、各州には州のあいだで医療資源を獲得すべく戦って解決せよと言ってのけた。この不必要な州間の競争は、医療の設備・備品や防護服の価格の高騰を招き、事態をますます悪化させた。州民の命を救おうとした州知事たちは大統領に対して忠誠心がないと非難された。アフリカ系アメリカ人は破滅的な勢いで命を落とし続けた。[*32]

司法省は、裁判もなしにどのアメリカ人も拘束できるようにして欲しいと政権に求めたが、一方ですでに罪状を認めている大統領に近い人物への訴えを取り下げた。[*33] パンデミックに覆われるなか、トランプは連邦政府の監察官たちを罷免し続けることで（国務省、保健福祉省、情報機関、国防総省……）、法治主義に疑問を投げかけるばかりか、政財界の中枢に政治的腐敗を招いた。[*34] 四月には、パンデミックは、ウィスコンシン州での（民主党予備選挙での）投票数を抑制するために利用された。トニー・エバーズ州知事（民主党）は投票を延期する知事命令を出したが、（延期命令を無効とする）州最高裁や（郵送投票期間の延長を無効とする）連邦最高裁の判断が下った後で、都市部の投票所の圧倒的多数が閉鎖されていた状況下で選挙が強行された。これはその後の選挙に影を落とした。トランプは、スムーズな投票に伴う問題点について、各州が郵便投票に切り替えたら「この国で二度と共和党員が選ばれなくなるだろう」と意見を述べた。[*35] トランプは郵便投票を非難したが、彼自身は郵便投票を行っているのだ。四月には、トランプは、アメリカ国民に暴力を使って州政府を転覆させる――彼のツイートでは「解放する」だが――ように促した。[*36] 五月には、新型コロナウイルスに感染して失職したアフリカ系アメリカ人のジョージ・フロイドが、ミネアポリスの警官に殺害された。トランプは独裁者の最悪の伝統に則り、フロイドの死で引き起こされた抗議活動を、兵力投入によって阻止すると脅した。

公衆衛生の危機のなかでの私たちの失態は、私たちの国の民主主義がどれほど退廃してしまったかを示している。トランプ政権になってから、権威主義への道をひたすら急ぐ過程で、私たちは自分たちの自由ばかりか命まで危険に晒すことになってしまった。法が尊重され、報道機関が遠慮なく役割を果たしている民主政は、パンデミックに対し、権威主義的な政体よりはるかにうまく対応する。[*37] 自由な言論と自由な投票が相俟《ま》って、市民は彼らの支配者がしていることを伝えられるし、命と死について嘘を並べる者を排除できる。民主主義が制限される時、市民たちは死んでゆく。私たちの民主政の限界の一つは、莫大で規制されない金が政治に関わることだ――ということは、危機的な状況において、患者や医師より、未公開株式投資会社や保険会社の方が命と死の問題により大きな発言力を持つことを意味する。[*38]

権威主義体制の独裁者たちは世界じゅうで、疫病の深刻さについて嘘をつき、自分たちの国民には免疫があると主張して、事態を正しく理解しているジャーナリストを処罰し、しかる後には自らが招いた危機を自らの権力を強固にするために使った。[*39]トランプの行動は権威主義のパターンに則っている。つまり現実を否定し、魔法のような免疫力を主張し、記者たちに嫌がらせをし、自身が引き起こした問題を他者の忠誠心を試す道具に使い、恐怖を培養して政治的な資源として利用するのだ。権威主義体制の独裁者たちは、自分たちの国の死者が多いと認めるかわりに、人びとが数えられないまま死んでいくのを黙認するのだ。[*40]

アメリカでは、新型コロナウイルスの死亡率が世界のどの国に比べても高いし（権威主義体制下での生命の軽視）、極端な数え落としが確実に行われている（権威主義体制下での事実への抵抗）。私たちは、公的なアメリカの死亡者数の発表はあまりにも低すぎることを知っている。なぜなら、人びとはほとんど検査が行われないあいだに亡くなるからだ。アメリカじゅうで、家でも病院でも、検査を受けずに命を落とし続けるからだ。老人ホームでは新型コロナウイルスによる感染者や死者はほとんど数えられないからだ。[*41]フロリダ州は死亡者数のデータを隠蔽したからだ。[*42]説明のない「超過死亡」が毎月報告されているからだ……。[*43]

つまるところ、権威主義体制の独裁者たちにはパンデミックを抑制するインセンティヴはまずない。なぜなら、彼らは、操作された恐怖の雰囲気のなかで力を伸ばすからだ。共和党員の死亡を数えず、同様に民主党員の投票を数えないことが彼らの考えらしい。民主主義は公衆衛生にとって必要だが、私たちのもののような弱々しい民主主義のなかでは、公衆衛生の危機は民主主義を破壊するために使われることがあるのだ。パンデミックに乗じて、投票することはさらに困難なものとされた。人種主義に抗議する大規模デモのあいだ、大統領トランプは、暴力と制圧を呼びかけた。もし二〇二〇年一一月に投票する人間が少なくなれば、それは民主主義に対する危機を生むばかりでなく、公衆衛生に対する危機をも生み出すだろう。疾病に関する嘘が権威主義につながるとすると、私たちはさらに多くの疾病とさらに多くの嘘に直面することを予期した方が良さそうだ。

もし私たちが自由になるために真実を必要とするなら、インターネットは私たちを自由にするだろうか。私たちは、ビッグデータが私たちの政治的決定を合理的なものとすると教えられてきた。だが二〇二〇年の一月と二月、シリコンバレーはアメリカ人を救うのに何もしなかった。この時期に迅速なデータ解析が行われていれば、人びとの生命が救われ、経済も立ち直ることができただろうと思われる。だがそうはならなかった。なぜならビッグデータは、人びとが繁栄するために必要とする知識と同じものではないからだ。生命や健康、自由といった価値は機械には意味を持たない。[*44] わが国の圧倒的なコンピュータの能力が私たちにもたらしたものは、ほんのわずかだった。[*45]

データ会社を運営する者たちは、感染の数理モデルを理解していたから、自分たちの社員を出社させなかった。だが自分たちがそうした措置をとった日に、はたして彼らは他の人びとにもそうするよう助言しただろうか。あなたの「フィード」は、手を洗い、スマホの汚れをぬぐうよう求めただろうか。そうはしなかった。なぜなら、そうした行為はあなた方の「セッション」を邪魔してしまうからだ。ソーシャルメディア企業のビジネスモデルは、両目はコンピュータのモニターに向けさせ、手はタッチパッドに置かせて、広告主があなた方の感情を追跡できるようにすることにある。人間の体が不活発な時こそ、最も追跡しやすい状態になる。また、インターネット時代は肥満の時代だ。アメリカ人の三分の一は肥満しており、肥満したアメリカ人は新型コロナウイルスで死亡するリスクが最も高い。[*46]

「データ」という言葉は、かつて意味したものとは違っている。今やデータは私たちが知らないものを指すようになっている。ソーシャルメディア企業はあなた方のことを知っているが、あなた方は彼らのことを知らない。そしてまた、彼らがあなた方について何を知っているかをあなた方は知らず、彼らがどのようにしてそれを知ったか、それをどう活用する意図なのかも知らない。一般的にビッグデータは、あなた方の体がより好ましいかたちで世の中を生きていく方法などではなく、利益をあげるためにあなた方の心を操作する方法について知ろうとする。それは私たち個々の熱望や恐れを暴きだすことはできるが、私たちに共通する必要を明らかにはできない。[*47]

そうした理由から、ビッグデータは、二〇二〇年の初めに私たちが入手の努力をすべきだったものについては教えてくれなかった――つまり、何千万回分かの検査や、防護服や人工呼吸器の大規模な備蓄だ。たしかに、ビッグデータは、どんな人びとがどのようなものを買いだめしたがっているかを明らかにしたり、彼らを中国の供給業者に近づけることには、衆目の一致するところだが巧みであった。だが新型コロナウイルスの感染爆発で生命が危険に晒された時、ビッグデータでは個人が感染しているかどうかは識別できなかった。人間による人間の検査だけが、必要とする知識を私たちに与えてくれるのだ。[*48] 私たちが必要とする事実は、一度に一つの体についての事実だ。そしてそれを得ることができるのは、私たちが科学を信じ、お互いを労《いたわ》りあってともに活動する時だけだ。どのような機械も、私たちのためにそんなことはできはしない。

どのようなソーシャル・プラットフォームも、健康を改善することはできない。なぜなら健康改善を目的とするアルゴリズムならどれもが、コンピュータをシャットダウンし、手を洗い、何か運動するよう人びとに警告するからだ。どのようなソーシャル・プラットフォームも自由を奨励することはしない。なぜならソーシャル・プラットフォームは依存させることを目標としているからだ。[*49] ソーシャル・プラットフォームは真実を奨励することもない。なぜなら、エウリピデスが二五〇〇年前に看破したように、真実とは人間の勇気に関わるからだ。[*50] 私たちが自由な言論を大切に思うのは、私たちの最も低劣な本能の胃袋に機械が絶え間なくガラクタを放り込み続けられるからではない。独立した個人が、他の人間たちは知っておらず、権力は隠したままにしたがっている真実を口にすることができる、という理由からなのだ。

記者たちは私たちの時代の英雄だ。そしてすべての時代の英雄がそうであるように、本当の記者の数は少なすぎる。私たちが民主政でつねに必要とし、二〇二〇年の初めに是が非でも必要としたのは、不可視のビッグデータなどではなく、目に見える小さな事実であった。つまり、社会の全員にとっての状況改善のため、地元の人間のために地元の人間によって報道されるローカルニュースだったのだ。新型コロナウイルスが静かにアメリカ全土に広がった理由の一端は、かつてのアメリカなら当たり前と思っていた初期の警戒システム――自分たちのコミュニティに新しい疾病が広がっていることに目をとめることができただろう記者たち――を失っていたからだ。

医療の検査と同じで、報道も事実を明らかにする手段だ。記者は客観的であることを目的にして、感情的にはならないようにしながら出来事に肉薄する。地元紙は、共有されたコミュニティという感覚を伝える。そこで得られた情報は信用できるのだ。医療における検査と同じで、報道は私たちが知る必要のあることを伝えてくれる。私たちが語りたいものを持つ時に、言論の自由が意味を持つようになる。

二〇二〇年の初め、ジャーナリストたちは、しぶる大統領を――遅ればせではあったし、断続的にだったが、それでも――新型コロナウイルスの現実に直面させることでアメリカ人の生命を救った。

だが、致命的なことに多くのアメリカ人は、トランプの魔術と記者たちによる事実確認の齟齬を、党派性に基づいた意見の相違と捉えてしまった。地元の情報がほとんど、下手をすればまったく伝わらなかったため、新型コロナウイルスはアメリカ人にとって抽象的なものと思えた。どれもすでに起きていたことだが、ウイルスが彼らのコミュニティに拡散していることも、病院がすでに予期せぬ呼吸器疾患に取り組んでいることも、老人ホームでは死者が増え続けていることも国民は知らなかったから、ホワイトハウスでの話題が、健康よりは政治、疫学よりはイデオロギーについてのものだと人びとには見えてしまったのだ。

新型コロナウイルスは地元のニュースであったのに、きちんと報道されなかった理由は、地元の記者たちが不足しているせいだ。ほとんどのアメリカの郡には、もうまともな新聞がない。初めは、メディアは大きなグループの傘下に集められた。それから、二〇〇七年の住宅バブル崩壊から二〇〇八年のリーマンショックへと続く金融危機が、多くの記者の生計の手段を奪ってしまった。それ以降のソーシャルメディアの興隆はそれに駄目を押したに過ぎない。フェイスブックとグーグルは、ニュースを報道していないにもかかわらず、かつては新聞に分配されていた広告料収入を手中に収めている。[*51] ソーシャルメディアが地元のジャーナリズムを消滅させたところでは、不信と無知が支配している。たんに事実が欠けているだけではない。ソーシャルメディアは、パンデミックを含めたさまざまなことに関して、新聞であれば絶対にチェックを免れないような嘘を拡散するからだ。[*52] 記者たちの仕事は、真実と多数の幸福という価値観を支持することで信頼を築き上げてきた。だが地元のジャーナリズムが衰退すると同時に、アメリカ人の関心は、全米的なニュースやイデオロギー、端《はな》から害をなすように仕組まれた陰謀論の方に向けられてしまう。

アメリカの大半の地域は、今やニュースの砂漠である。[*53] ニュースの砂漠は、私たちに毎日の生活に必要な情報を与えぬことで、そして自分たちの健康と自由を守るために行動しなければならない決定的な瞬間に私たちを混乱させることで、私たちの生命を奪っている。身近な例として公害が挙げられる。地元の記者がいないと、政治家と企業の不適切な関係を誰一人チェックできない。水や空気を汚染する計画が堂々と宣伝され、実行に移されてしまう。また地元の記者がいなければ、健康の被害を訴えても誰も徹底的な追及をしないし、水と空気の検査もしなくなるだろう。

ケンタッキー州では、かつて『ルイヴィル・クーリエ・ジャーナル』が、露天採鉱やオハイオ川の汚染、そして汚泥と放射性廃棄物の投棄に対する訴訟を避けられぬものとした。[*54] だが今やルイヴィルで（そして合衆国のどこでも）環境問題をスクープしようと試みる記者はいないので、こうした行為には歯止めがかからなくなっている。乱伐や山頂採掘、あるいは廃坑の危険といった継続的な脅威について報道する者はいない。将来的には、新たな危険が生まれても、報道もされずに人びとの生命を奪うことだろう。

新型コロナウイルスは、トランプ政権によって公害を合法化する言い訳に使われた。[*55] 公害によって人びとが新型コロナウイルスで死亡する確率が高まるとしても、だ。私たちには、その因果関係を報道する記者がもういないのだ。

ニュースの砂漠が人びとの死につながる二番目の例としてオピオイド危機があげられるが、これは地元ニュースの崩壊と同じ時期に起きている。ケンタッキー州東部、ペンシルヴァニア州西部、ウェストバージニア州、オハイオ州南部といった地域に住むアメリカ人は、オピオイドがニュースの見出しになるずっと前から、何か不気味なものが人びとを支配していると気づいていた。主要メディアがそれを記事にするよりだいぶ前から、オピオイドの濫用による中毒は、癌のようなものだった。テーブルについている誰かに関わりがあるかもしれないというので、ディナーの席には持ち出されない話題になっていた。過剰摂取を報道する地元の記者があまりにも少なかったため、その惨事の発生のアメリカでの全体像が見えてくるのにも一〇年かかった。

時機を逸してしまったとはいえ、オピオイド禍に対処するのに踏むステップは、今では新型コロナウイルスの広がりにより——そのせいでオピオイド禍のリサーチも治療もずっと難しくなっているのだ——危険に晒されている。新しいパンデミックを招くことで、私たちは（いわば）その前のパンデミックを拡大しているのだ。[*56]

二〇二〇年、地元の記者たちがいないことは、公害やオピオイドの時と同じような結果を新型コロナウイルスにもたらした。私たちは、報道で今回の全国的な惨事を明らかにしてくれたかもしれない人びとを失いつつあったのだ。よって、私たちはいまだに、最初に新型コロナウイルスに直撃されたのはアメリカのどことどこのコミュニティだったかを知らない。[†7] パンデミックが起きてから数ヶ月経っても、何百万というアメリカ人は、ワシントンが発するヒントや目配せに反応していた。なぜならその疾病がすでに彼らの隣人たちに感染していることを伝えてくれる地元の記者たちがいなかったせいだ。ソーシャルメディアが地元の新聞に取って代わったため、陰謀論が広まった。ロシアや中国からのプロパガンダの話題が、同じブロックで起きている現実よりもディナーの席の話題を占めるようになってしまった。

亡くなった人びとの横顔を知らせたのは、地元の記者たちだった。[*57] 老人ホームでの大量死を伝えたのも彼らだった。彼らは遺体が放棄されているいくつかの場所を突き止め、亡くなった医師や看護師の名前を記録した。彼らはまた、州が死亡者のデータを少なくしようとするのを時には暴露した。悲しいことだが、それを報道するジャーナリストが足りなかったために、そうした物語のほとんどは表に出ることはなかった。

ロマン派の偉大な詩人、アダム・ミツキェヴィチ（一七九八年～一八五五年）は次のような言葉で始まる有名な詩を書いている。

リトアニアよ！　わが祖国よ！　汝《なれ》が似るは健康。
ひとたび汝を失った者だけが、汝の真《まこと》の価値を知ることができよう。

健康とはまさにそういったものだ。人間は、それを失った時にはじめてその価値を知る。真実も健康に似ている。真実が消えた時に、私たちはそれを惜しむのだ。医療の知識や地元の情報が消滅しつつあるから、私たちはそれらの重要性を知ることができるのだ。

もしあなたが健康を完全に失ったり、死んでしまったなら、健康を切望する心さえ無くなってしまう。同じようなことが真実についても言える。事実を提示する人びとを失えば、私たちは真実という概念そのものを失う危機に瀕する。真実の死は、人びとの死をもたらす[*58]。なぜなら、健康であることは知識に依拠しているからだ。また真実の死は、民主主義の死をもたらす。なぜなら、自分たちを権力から守るために必要な知識を持っている時だけ、人民の支配は可能になるからだ。アメリカ人すべてが真実を与えられなかったばかりに、アメリカ国内で一五万人がむざむざ命を落とした。そうしたことが二度と起きないよう、私たちは起きてしまったことについて真実を知らねばならない。

私たちは健康でなければ自由でいられないし、知識なしでは健康でいられない。そして私たちは、個人として独力で知識を生み出すわけにはゆかない。真実の価値について、事実を提示するプロフェッショナルについて、そして彼らを支える健全な組織についての一般市民の信頼が必要となる。これが自由というもののパラドックスの一例である――私たちは、助けなしには自分らしくいられないし、他の人びととの連帯抜きには孤独のなかで力強く生き抜くことはできないのだ。私たちは、自分たちの行動の大局的な意味を見つめることを可能にする事実に基づいた世界を共有することでのみ、孤独と連帯のバランスを取ることができる。パンデミックの最中《さなか》にも、私たちは、元気で生きていて欲しいと自分たちが願う人びととの連帯があるからこそ、孤独を選ぶことができる。地元の記者たちは、私たちに危険について警告してくれるし、私たちが課題に目を向けるのを助けてくれ、分断を生むかたちでのイデオロギーの抽象化や、テクノロジーが生む中毒性の感情から私たちを守ってくれるのだ。記しているように、私たちは新型コロナウイルスについて依然として、はるかに多くの検査を必要としている。未来のためにも、私たちには、独立した地元の報道機関を支える息の長い政策が必要である。今回のパンデミックへの反作用として、真実を取り戻し、真実を健康へと適用させることが始まる可能性がある。私たちは二〇〇九年に地方紙に財政援助をすべきだったし、二〇二〇年にもそうすべきだった。地方紙は、地方紙の労働を搾取し、生計の道を破壊したソーシャルメディアへの課税をもって復活させることができる——ソーシャルメディアはアメリカ人の精神を弱体化させ、アメリカ人の健康を害《そこな》っているのだから。

だが、真実への献身は、大量死を回避するという喫緊の反応にとどまるものではけっしてない。私たちはまた、健康な生活を送るための知識を肝に銘じる必要がある。その基本的なことさえ、現在の商業主義的な医療システムではろくに教えてくれない。アメリカの古い伝統を持つメディアの集中化は、しまいには、事実を提示せずそれを消費するだけのソーシャルメディアのブラックホールへと崩れ落ちてしまった。同じように、商業主義的な医療の集中化は、医師たちの声を弱め、徐々に医師たちを、病院を所有したり薬を売る企業群のための代弁者に仕立てている。医師たちの持つ知識はますます耳に入りづらくなっていて、今ではとうとう「医は算術」の論理に押しのけられてしまっている。

医師たちには、科学的な検査ばかりでなく、患者との会話を通しても真実に到達できる彼らなりのやり方がある。彼らは私たちが事実に基づいた世界を取り戻すのを助けてくれるだろう――ただしそれは、彼らに値する尊敬とともに彼らを遇した時に限られる。

†4　著者は、中国人の同室者が中国（おそらく広東語圏）からアメリカに戻ってきたばかりだったこととみずからの肺のCTスキャンから、むろん新型コロナウイルスに感染していた「可能性」を感じているとのことである。訳者の質問に答えるかたちで、I think it is likely but I don't know and so I deliberately left it ambiguous. とも語っていた。

†5　「バラは赤い／スミレは青い／#新型コロナウイルスのリスクは低い／インフルエンザのリスクは高い」。マザーグースの「バラは赤い／スミレは青い／お砂糖は甘い／あなたも素敵」の前半の二行はよく替え歌に使われる。後半二行はジェローム・アダムズ長官の創作であるが、トランプ政権が最近までとってきた姿勢をよく反映している。

†6　「マジカル・シンキング」とは、「実際には相互に無関係なもののあいだに関係があると思い込み、一方に働きかけて他方にある種の効果をねらうことができるとする考え方」を指す。池田訳の全米図書賞受賞作品、ジョーン・ディディオン著『悲しみにある者』（二〇一一年）の原題がまさに *The Year of Magical Thinking*, 2005 だった。

†7　†3とも関わってくるが、本書七三頁の「二〇二〇年一月と二月、新型コロナウイルスは静かに国じゅうに広がっていった」にあたる原註（「原註」の第3章＊4）を参照。アメリカでの記録された最初の感染者は一月一九日、最初の死者は二月二九日とされていた（後述）。ただし、「アメリカでの」最初の感染者や死者であり、「アメリカ人の」最初の感染者や死者ではないことに注意する必要がある。最初の感染者の方のプロフィールは、「二〇二〇年一月九日に三五歳の男性がワシントン州スノホミッシュ郡の緊急治療クリニックに現れた。咳と自覚症状としての発熱が四日間続いていた。……患者は中国の武漢にいる家族を訪ねたあと一月一五日にワシントン州に戻って来たと明かした。彼は、中国の新型コロナウイルスのアウトブレイクについての疾病管理予防センター（CDC）の健康に関する注意を見かけ、

症状と最近の旅行歴を考え、医療提供者の受診を決めたと述べた」とある（『ニューイングランド・ジャーナル・オブ・メディシン』の記事（一月三一日付））。ところが死者の方は、原註にもあるが、四月二二日にメディアが報じたように、カリフォルニア州サンタクララ郡検死官がＣＤＣから組織サンプルが陽性だったという通知を受けたと発表し、最初の死者は二月六日まで辿れる、となった。実際のところはいまだ不明である。

第4章　医師たちが現場を仕切るべきだ

　今や私は親であり、両親は私の子どもたちにとって祖父母なのだから、私の子ども時代、つまり母が呼ぶところの「ぼんやりとした記憶」になった一九七〇年代に私が両親から何を学んだかについて、一層深く考えるようになった。私が若い頃、母と父が私や二人の兄弟とともにどのように過ごしたかは、何十年も経った今に至るまで、私の毎日に影響を与えている。私はそれに感謝したいと思っているので、彼らの誕生日にはいつも両親についての具体的なエピソードを思い出すことにしている。ただし、私がフロリダで入院していたせいで、母のこの前の誕生日には失念してしまった。

　母の誕生日からクリスマス・イヴにかけて、二日と一夜をフロリダの病院で過ごした私は、心配で眠れなかった。手も足もずきずきと痛み、熱っぽかった。日中に数え切れないほどの検査を受けたが、結果を説明してくれる医師はそばに来なかった。そこで私は窓の外を見た。月が空に現れるのを見つめ、夜通しじっとそれを眺めていた。日記に記した月のスケッチはまるで子どもの描いたもののようだ。太陽が病院の背後から昇ってきた時も、私は月に目を向け続け、それが消えてしまうまで眺めようとした。月は揺れ動き、消えてはまたと、これを最後と消えてしまうまで三度にわたって現れた。

日が昇った時に私が目にしたのは、患者を陽気な気分にしようとするためか、どの棟もパステル色に塗られた巨大な病院施設だった。明るい色の壁が唐突に終わり、平坦な黒いアスファルトの屋根があらわれたが、それはゴミ袋で覆われていた。私はどの方向から風が吹いているかがわかった。空気のつまったプラスチックの袋が一日じゅう、屋根の上であちらこちらへと揺れ動いていたからだ。私はプラスチックの袋を見つめ、それがどこから来て、何が入っているのか、そしてメキシコ湾のどのあたりの野生動物を窒息死させるのか考えていた。目を下に向けると、やはり明るい色の服に身を包んだ人びとが、行ったり来たりするのが目に入った。おそらく私はスタッフ用入り口の真上にいたのだろう。なぜなら私の真下で出入りする人びとのほとんど全員が手術着に身を包んでいたからだ。

そのなかで医師はごく少数だった。私は救急外来で入院し、命にかかわる疾患で検査されていたにもかかわらず、やはり病院のなかで医師の姿を目にすることはあまりなかった。最初の半日間、救急病棟の廊下で、ある医師と三分間だけ話すことができた。その際に彼女は、私の兆候が前触れかもしれない壮観な死について、懇切丁寧な説明をしてくれた。脊椎穿刺《せんし》の際にはまた別の医師に会った。背中に針を刺され、うつぶせになっているのを「会う」と言えるならばだが。放射線科医たちは私のスキャン画像を実際に読んでくれたが、私は彼らに会うことも、彼らの報告書を読むこともなかった。病棟総合診察医（ホスピタリスト）の一人とは五分間、もう一人とは四分間会話をし、神経医とはスカイプを通じて一五分ほど話した（神経系についてはスカイプでは検査できまい）。これらは決して時間的に多いとは言えないが、それが典型なのだ。アメリカの病院では、どの医師も特定の患者に責任を負っているようには見えず、患者は権限を持つ者と話す時にはいつでも緊張を強いられる。

私たちは、検査のテクニックと会話のテクニックのアンバランスに悩まされている。もちろん、オーストリアやドイツの医師がしばしばそうなるように、他国の医師はとんでもない方向に間違えることもあるし、本来ならば必要な検査や投薬（特に抗生物質）を、当然のこととして避けたりすることもある。私の息子は昨年の春、ウィーンにいた時に細菌性の肺炎にかかったが、細菌感染の検査をするよう、まさに悪戦苦闘して医師たちを説得したものだ。父親譲りか息子は充分に苦痛を訴えなかったし、男性医師たちは彼の母親の言うことを真剣に受け取らなかったので、会話をベースにしたやりとりは失敗に終わってしまった。そうは言っても、いったん診断が下されると、息子は必要なだけ長く入院し、医師や看護師の思いやりある優れたケアを受けた。しかも私たちは費用を払わないで済んだ。九歳の誕生日に、彼は自分が生まれた病院に転院を許されたが、それを知った看護師や医師たちは残念だと言って騒いだものだ。

昨年の一二月にミュンヘンで病に倒れた時、私も息子の時と同じで、もっと不満を言い立てねばならなかったのだ。そして医師たちはもっと機械に頼るべきだったのだが、お互いそうしなかった。ドイツの医師たちがCTスキャンを撮るよう指示していたなら、虫垂が腫れているのがわかり、抗生物質による治療か手術を選択することができただろう。というわけで、そのまま私がドイツで治療を受けていれば、さらに長く病院に入院し、適切な抗生物質を投与されて医師が経過観察してくれたに違いない。アメリカで病気になると経費削減のために、虫垂切除手術のあとで次の感染についての情報も与えられないまま病院から追い出される……そんなことは、ドイツではありえないどころか、想像もつかない。いずれにせよ、こうした経緯で、私は自分の容態についての知識もないまま、フロリダの病院に入院させられたのだ。

医師の数は少なかったが、フロリダの病院にはカーキ色のシャツと野球帽に身を包んだ年配のボランティアが印象に残るほど大勢いた。彼らはいつも用意万端で、親しげに手を振ると、パステル色の病棟から別の病棟に、患者を白いゴルフカートに乗せて手早く移動させた。また彼らは患者を部屋に訪ね、何か必要なことはないか、と聞いてまわった。治療を受けているあいだの私のデフォルトモードは、礼儀正しく協調的なものとなる——よって、ある時、一人のボランティアに私の病院での経験を尋ねられた時には、すべてがとても心地よかった、と答えた。ただ一つ言わせてもらえれば、ほとんど医師を見かけなかったんですよ。看護師たちも看護助手たちも、いつ医師たちが回診に来るのか、あるいは誰が当直であるかも知らないようだった、と付け加えるのを忘れなかった。

すると、その物腰の柔らかな年配の紳士はこう答えた。「驚かれるでしょうが、皆さんそうおっしゃるんですよ」。

問題はどこにあるのか。医師たちは患者と手をたずさえての治療を欲している。新型コロナウイルスのパンデミックの最中《さなか》で目にしたように、医師たちはきわめて熱心に働き、自分たちの命を危険に晒してまで他の人びとを助けようとした。[*1] 問題なのは、医師たちが自分たちの周囲で起きることへの発言力がきわめて小さく、より大きな権力を持つ者たちをなだめるのに彼らの時間とエネルギーを浪費していることだ。彼らは、患者の側が期待し必要としている権威を、もはや持っていない。医師たちは毎日、患者に対し、自分たちは実際より重要な存在だというふりをしなければならない。患者が、現在の医師たちがどれほど奴隷のような状態に置かれているかを理解したなら、病院に行くのを躊躇し、その結果、病院の収入は少なくなるだろう。アメリカの医師たちは、広告の小道具になり下がりつつある。競合し合う病院でできているほつれたパッチワークのなかでギャップを埋めようと、指導されたつくりものの笑いを浮かべる、最前線に押し出された男女なのだ。[*2]

パンデミックが起きた時、覆いは取り払われ、私たちは医師たちが社会的にも政治的にも力を持たないことを知らされた。新型コロナウイルスは、商業用不動産の所有者など、医療に関連のない経済分野の人びとにとっては財政的にぼろ儲けの機会《ボナンザ》となった。そしてその水門は、トランプの再選活動にかかわる会社や、オーナーがそれに寄付をした企業に開かれた。[*3][*4] アメリカの最も富裕な郵便区《ジップコード》は、明解な理由もなしに二〇〇万ドルを割り当てられた。[*5] 保険会社と未公開投資株式会社は政治に対し発言力があったが、医師にも患者にも発言力はまるでなかったのだ。[*6]

二〇二〇年の経済恐慌は、実際は公衆衛生の危機だったが、医師は誰一人として助言を求めるために会議に招集されなかった。緊急援助について話し合われた際、どのようにその金額を使うべきかについて、テレビで提議する人たちのなかに医師や看護師はほとんどいなかった。連邦政府は、二兆ドルという金額を、私たちが本当に必要とする検査キットやマスク、防御服、人工呼吸器といった資材を購入するのでなく、とにもかくにも費消してしまった。三月の初めまでは、トランプ政権は、アメリカで作られたマスクを中国に輸出するという政策を実際に採っていた。だが二〇二〇年の三月に、医療用のN95型マスクは一箱としてアメリカの港には陸揚げされなかったのだ。[*7]

私はいまだに治療中で、検査も受けているため、これらがもたらした結果をいくらかは見聞きしている。咳をしているのにマスクもしていない技師による超音波検査を受ける際は、いささかひやひやした。医師たちが現場の責任を持っていたなら、そんなシーンには出くわさなかっただろう。そもそも初めから検査を行うことを優先するので、この疫病も広がることはなかったろう。そして医師たちに権限があれば、彼らが必要な設備・備品を欠いたまま、パンデミックに立ち向かうこともなかった。彼らが充分な影響力を持っていれば、医師たちは必要な数のマスクもないまま、数ヶ月間にわたって来る日も来る日も、感染症の患者であふれた病室に入室することを避けられただろう。

わが家の向かいに住む、幼い三人の子どもを持つ医師は、地元の病院で新型コロナウイルスの患者の治療にあたっているが、ご近所用のEメールリストを使って余分なマスクはないかと聞いてきた。「病院では、私のサイズ（Sサイズ）のN95マスクが不足しています」[*8]。彼女が勤務する病院も含まれるが、設備の整っている病院でさえ、本来なら使い捨てのはずのマスクは一週間に一枚しか支給されなかった。彼らは家に帰る時、名前を記した茶色の紙袋にマスクを入れて持ち帰り、翌日にはまた病院にそのマスクを持参した。テレビで見る韓国の医師たちはさながらSF映画に出てくるようだったが、わが国の医師たちはまるで救世軍に属しているかのように見えた。
アメリカ全土の病院関係者は、本来そうであってはいけないはずだったが、多くのウイルスの脅威に晒されていた。検査もされず、まともな防護用の装備一式もなしに、彼らは予想もできなければ避けることもできないリスクに面と向かっていたのだ。私立病院の所有者たちが自らのブランドを守ろうとするため、医師たちはこれらの脅威について大っぴらに話すことさえできない。商業主義的な医療においては、医師たちは患者の体、そして自分たちの体に関心を持つ生身の人間ではなく、ビルボードのぼやけて平板な笑顔や、病院内のプロモーションビデオに登場する存在とみなされている。何人かの医師や看護師たちは、自分用の医療用マスクを職場に持ち込んだことで解雇されてしまったが、それはなぜかと言えば、病院のストックが不足していることを露見させてしまったからだ。さらに、商業主義的な医療は、自由な言動をも封じてしまった。そうした暴挙について私たちの耳に入るのは、本来なら入ってくるよりずっと少なかった。医師も看護師も、彼らの雇用主から箝口令を敷かれていたせいだ。[*9]とうとうアメリカ医師会長が「医師たちが、患者の最善の利益のために発言する自由」を嘆願しなければならなくなったほどである。[*10]
重症だった時期、私は医師である義父とたびたび言葉を交わした。義父は、ペンシルヴァニア州で開業医としての診療の他に、病院で回診し、病棟で研修医を指導し、老人ホームでは医療責任者を務めている。彼はそこで新型コロナウイルスに感染した。同じ施設の介護士一名が一一名の患者とともに亡くなった。義母の方は、おそらく新型コロナウイルス感染からくる血栓のせいで脳卒中を起こした。彼女は検査を受けられなかったので、確かなことはわからない。確かなことは、消耗性の疾患のために、彼女はもう孫たちの名前すら覚えていないということだ。

オハイオ州が検査を始めた時、陽性者の二〇パーセントは医療従事者だった。[*11] アメリカ全土で多くの医師が亡くなった。そのなかには、新型コロナウイルスの患者を診療することを選んだ公立病院勤務の皆に愛されていた医師や、あまりにも多数の患者の新型コロナウイルスによる死を看取ったあと、自ら命を絶った救急救命室の女性医師もいた。[*12][*13] 看護師たちも同じように命を落とした。[*14] 刑務所で働いていた看護師、新型コロナウイルスに感染した同僚を看護していた看護師、娘に父は無敵だと思われていた看護師、娘が「私たちの誰も、ママなしには生きられない」と必死で携帯メールを送った看護師など。[*15] セントルイスで最初にわかった犠牲者は、アフリカ系アメリカ人の看護師だった。[*16] 看護助手、検査技師、救急医療隊員《パラメディック》、患者を移送する職員——皆が新型コロナウイルスに感染した。私が入院していた際には、清掃担当者がまさに最も重要な仕事をしているように感じたものだが、彼らもまた感染した。湾岸戦争の退役軍人だった用務員も亡くなった。[*17]

年配の退役軍人も、老人ホームで何十人と亡くなった。[*18] トランプは新型コロナウイルスを「戦争」と呼び続けたが、それは年間七〇〇〇億ドルに達するわが国の軍事予算がどれだけのウイルスを食い止めたのか、という疑問を投げかけた（実際はゼロである）。共同防衛のための予算は、公衆衛生に使用されるべきだった。トランプが新型コロナウイルスを戦争に例えたことには欠点があった。なぜなら、その例えを使うことで、彼の権威主義的な無能さを、予想しない敵からの攻撃を受けた結果だと思わせたからだ。だが仮にこれが戦争だとしたら、総司令官がすべての警告を無視し、武器も防弾チョッキもないまま軍隊を最前線に送るようなものである。兵士たちが自分たちが目にしたものについて発言する権利を与えられない戦争──「沈黙の世代」(一九二八年~一九四五年に生まれた世代)ならぬ「沈黙させられた世代」の戦争である。この戦争は、第二次世界大戦以降で最も多くの人命をアメリカで奪った戦争であり、それでいながら状況を変えることはできなかったのだ。

私が病に倒れた時、まともな診断と治療を受けるには、病院にいられる時間があまりにも短すぎた。最初の三つの病院にはそれぞれ一晩しかいられなかったのだ。仮にどれか一つでももう一日だけ入院が延びていたなら、もっと早めに診断が下されて治療も受けられ、その結果、死に瀕することもなかっただろう。アメリカの病院に入院するたびに、私は退院しろという圧力を感じてきた。私が危うく死にかけた夜の病院のロビーでは、患者を心よく受け入れる姿勢どころか、心配りすら感じられなかった。その一二月二九日、救急救命室のなかでさえ、私は奇妙な雰囲気が作り上げられているのを感じた。翌日、体を少し動かせるようになった時、私は日記にこう書いた。「彼らは極度の疲労だと診断した。インフルエンザ? 点滴をしている。退院させたいのか? 今日は敗血症だと言っている」。

商業主義的な医療は、病床スペースについて葛藤をもたらす。新型コロナウイルスがアメリカを襲った時は、病院のベッドが充分に確保されていなかった。これは聞くだに奇妙に思えるかもしれない。

なぜといって、伝染病の流行は一定の間隔ごとにやってくるから、いつも使われているよりも多いベッドが必要になる機会がしばしば訪れるはずではないか。余分のベッドがない理由、虫垂炎の手術を受けたアメリカ人がおやと思うほど早く帰宅させられる理由、産科病棟から母親たちがさっさと帰宅させられる理由には、商業主義的な医療が介在している。根本にある計算は、財政的なものなのだ。

ベッドの不足を理解するためには、ジャストインタイムの納品を思い浮かべれば良い。企業は、自分のところで必要とするもの、それを使って仕上げるもの、そして販売するものがちょうど入るスペースが欲しいのだ……それ以上でも以下でもないスペースだ。同じように、病院にとって人間の体は、納品され、改造され、発送される物体なのだ……すべてジャストインタイムにである。あまり多くの体があっても困るし、少なすぎてもいけない。適切な数のベッドに適切な数の体が横たわっていることが望ましいのだ。良い医師、優れた看護師、そして有能な看護助手たちはこの論理に絶えず抵抗しているのだが、彼らはシジフォスのように巨岩を山に押し上げようとしているにすぎない。

ベッドを維持するには費用がかかる。[*19] アメリカの商業主義的な医療システムにあっては、どの病院も、他の病院がそうしないのに自分たちだけが空きベッドを確保しようとは考えない。財政の論理が医療の論理より優位に立っているため、この国ではパンデミックへの備えをいつも怠ることとなるのはやむをえない。予備のベッドもなければ、ついでに言えば、予備の防護用の設備・備品とか人工呼吸器も存在しない。四半期ごとの利益を計算する経営陣は、一〇年に一度襲ってくるだろう伝染病を計算に入れてはいられない。[*20] 疫病が襲ってくるたびに、その状況は例外的なものと否定され、ベッドや人工呼吸器などの不足によって、やむをえない緊急事態ははるかに悲惨なものとなる。そしてそこらじゅうに金がばらまかれる。ただし、それは言うことに耳を傾けてもらえない医師たちが欲する場所にではなく、財政セクターの最も声の大きい場所に使われるのだ。これがまさに起きたことだし、商業主義的な医療があるかぎり起こり続けるのだ。

残念ながら、病院において人間の体は一種の装置にすぎない。思いやりのある看護助手たち、有能な看護師たち、そして立派な医師たちは、その装置を人間らしく取り扱おうとするが、彼らはシステムに束縛されている。それがちょうどいい期間で済み、ちょうどいい病気であれば、人間の体は収益をもたらしてくれる。ある種の病気、とりわけ手術や薬剤によって治療が可能である（あるいは一般的に可能と思われている）病気は、金の成る木だ。あなたを健康にし、治療し、もっと言えば生かしておくための経済的なインセンティヴを持つ者は誰一人としていない。健康と生命は人間としての価値であって、金銭的な価値ではない。私たちの体を治療するにあたって、野放しになっている市場は、人間の健康などでなく、利益となる病気を生み出しているのだ。

たしかに、病院にいる多くの人は健康についてしっかり考えている。私には実感できる。私に真実を告げてくれた医師たち、助言と励ましを与えるために立ち寄ってくれた看護師たち、検査がどんな意味を持つのか教えてくれた検査技師たち、私のベッドを押しながら勇敢にも世間話を続けた搬送役の職員たち、私が歩けるよう肝臓につながれた袋の結び方を考えてくれた看護助手、私がベッドから起き出した際に転ばないよう床を清掃しようとスケジュールを調整してくれた清掃人たち。だが施設としての病院は、収益が下がり始めるとあなたをドアの外に追い払うインセンティヴを持っていて、それはあなたを健康に戻そうというインセンティヴと同じ代物ではない。そして保険会社は、あなたの検査や治療にはお金を払わないというインセンティヴを持っている。

あなたが医師や看護師に診察されるたび、検査が行われるたび、病院のアルゴリズムは——誰がどれだけの金額を稼げるかを巡って——保険会社のアルゴリズムと真っ向から対立する。病院は、最も適したスタッフがそこにいるかどうかを考慮せずに、利益を生む治療を選びがちだ。たとえば、あなたの子どもである新生児が、複雑な心臓の欠陥を持って生まれたとしよう——地域の小児専門病院は、別の病院に勤務する外科医のなかで最も上手にその手術を行える者を紹介するのではなく、たとえそれが真実でなくとも、自分たちの病院の外科医がその手腕を持っていると主張するだろう。[*21] その結果、新生児は苦しんだあげく命を落とすのだ。

人生も終焉に近づいてからだが、外科手術による移植には、商業主義の医療システムが健康より利益を優先する、さらなる例が見られる。私が最初にそれに気づいたのは、私の博士課程の指導教官が人工股関節置換を行った時だ。その年配の歴史家は、人生でさまざまな事態を経験した人だった。彼はホロコーストの生存者で、先述したポーランド系ユダヤ人のワンダの息子だった。私はもう四半世紀も前に、彼の机の上にあったワンダのポートレートを目にしたのだ。彼は共産主義政権下のポーランドに住み、そこで地下組織の大学を創設するのに手を貸した。戒厳令下では収容所に入れられたこともあった。

私が彼を知っていた大半の時期、彼はきわめて健康で、冬場にはスキーを楽しんでいた。手術の後で彼が入院中の病院を訪ねた私は、股関節の置換が彼の可動性を増すだろうと期待していた。だが事実はと言えば、彼は手術のあとで以前よりもっと苦痛を抱え、二度ときちんと歩くことができなくなり、苦痛に苛まれながら亡くなった。

アメリカでは、股関節置換手術は規制を受けていないうえ、私たちはどのような物が誰の体に入れられたのかを登録さえしていない。法的基準も規制の基準と同様に緩やかなため、私たちは失敗に終わった移植手術が生んだ苦しみや死についての訴訟事件から学ぶこともしない。おそらく移植手術は、アメリカ合衆国における死因のなかでも主たる原因の一つだろう。[*22] あるいは最も多い例かもしれない。だがそれは利益を生むのだ。

利益という目的と治癒という使命のあいだには、感染症をどう扱うかという問題が出てくる。私をあやうく殺すところだった敗血症は、血液中に侵入した細菌の増殖による感染症だった。細菌が特定され、適切な抗生物質が投与されれば、血液の感染症も落ち着いただろう。私の肝臓の膿瘍は細菌感染によるものなので、今は抗生物質を服用している。だが残念ながら、細菌は抗生物質に対する耐性を持つようになるため、絶えず新しい抗生物質が必要になる。毎年、何万人ものアメリカ人が、抗生物質の耐性のせいで彼らの感染症が治りにくくなったために死亡している。だが、耐性ができると新しい抗生物質も使えなくなるために、製薬会社は次々と開発していくために金銭を投資するのを躊躇するようになる。

抗生物質への耐性の問題がさらに悪化するほど、市場はその解決を見出すことに力を注がなくなる。大きな製薬会社の大半は、もう抗生物質の研究をやめてしまっている。[*23] 資本家の論理がそのまま健康に適用されるなら、勝つのは細菌なのだ。

利潤追求を専門とする人びとは、かつては医療の専門家がコントロールしてきた肉体的・心理的な空間に進出してきている。一日にどれだけの患者から利益を搾り取ることができるかをコンピュータのプログラムが決定する時、医師たちはたんなるツールと化す。そして、実際に、機械が意気揚々と病棟に進出してくる。看護師たちは、今や自分たちと一緒にコロコロと動くコンピュータ、つまり仕事を割り当てる「親方ロボット」によって患者と引き離されている。看護師に最初に会う時、彼か彼女かは、あなた方患者ではなくモニターに目を向けている可能性が高い。これでは、患者は人間というよりチェックリストにされてしまうので、患者の治療に恐ろしい結果をもたらしかねない。患者がモニターに表示される以外の問題を抱えていたとしても、看護師のなかには、神経を集中させてその情報に注意を払うのが難しい者もいるだろう。たとえば、最初の肝臓の処置で、私の肝臓にはドレーンが不適切に挿入された。これは由々しい問題だが、簡単に直せるはずだった。だが私が四日間もそれに彼ら彼女らの注意を向けようとしていたのに、誰にも気づかせられなかった。それが看護師らのリストになかったせいだ。そこで私は、肝臓に二度目の処置を受ける羽目になってしまった。

自分のカルテを読んだ時、私は医師たちがどれほどしばしば真実とかけ離れた都合の良いことを書いているかに驚いた。だがそのことで彼らを責めることはできない。彼らは、彼らの時間と私たちの金銭とを吸い上げる、恐るべき記録管理システムにがんじがらめになっているからだ。医師たちがカルテに記入しようとする時、彼らの手はコンピュータのなかにすでにある可能な入力法に従うよう誘導されるし、しかもその入力法は収益を最大限にするようにあらかじめ調整されているのだ。電子カルテの記録は、その名前から私たちが期待するようなリサーチからの恩恵などは何一つもたらさない。それはクレジットカードの読み取り機やATMが電子的であると同じ意味合いで、電子技術を利用しているにすぎない。医師や患者にとって有益なかたちでデータを集めるうえではほとんど助けにならないのだ。新型コロナウイルスのパンデミックのなかでも、電子カルテを通じて医師たちが症状や治療について連絡しあい、話し合うことはできなかった。ある医師はこのように説明している。「カルテは、私たちの患者に対する観察や、評価、計画という本来の目的よりも、患者に請求書を送り、医療サービスのレベルを決め、それを記録するために使われている。[*24] われわれの重要な仕事は、請求書作成に組み入れられてしまった」。

医師たちは皆これを嫌っている。旧い世代に属する医師たちは、彼らの若い頃はもっとまともだったと言っているし、さらに特筆すべきことには、若い医師たちもこれに同意している。医師たちはさまざまな雇い主に押しつぶされているように感じ、かつて享受していた、あるいは彼らが医学部に進むと決めた時に将来は享受できると期待したさまざまな権威を懐かしがる。良い意図を持って医学部に進学した若者は、まもなくその使命感を雇い主や上司たちに利用されていることに気づかされる。できるだけ多くの患者を診察するようプレッシャーをかけられ、次第に機械の歯車のように感じ始めるのだ。すべての医療行為のあらゆる側面をこじ開けてそこから利益を得ようとする企業に煩わされ、彼らはしだいに医療という天職の尊さを感じとるのが困難になってゆく。患者への医療と同じくらいの時間が取られる電子カルテや、強制的に配付され、考える時間を奪われるスマホに悩まされて、彼らは集中し、コミュニケーションをとる能力を失いつつある。そして医師たちが力を失う時、健康で自由な存在であるにはどうしたら良いのか、私たちはもう学ぶことはできない。

パンデミックのあいだは、新型コロナウイルスの治療のために病院が再編成されていたため、どのような種類の医療であっても受けるのは難しかった。設備・備品の欠乏が、新型コロナウイルスに感染した人びとや彼らを治療した人びとを死に追いやった。また、もろもろの不足は、癌の手術や臓器移植を受けられなかった数えきれない人間たちの命を奪った。あるいは何か病気にかかったばかりで医師の診察を受ける必要のあった数えきれない人間たち——それ以上悪化しなかったはずなのに、治療が受けられなかったせいで悪化してしまった患者たち——の命も奪った。パンデミックのあいだは、病院に利益をもたらす手術を行えないため、患者が最も彼らを必要としている折りに、医師たちが解雇された。

なぜ大きな病院が、これほどまで基礎治療《ベーシックケア》の中核を担っているのだろうか。商業主義的な医療では、病院は医療提供者（医師、診療看護師、医師助手《フィジシャン・アシスタント》）たちが、一定の成果を一定の価格で提供することを目的として設計されている。だが健康は、おもに教育と予防にかかわっているのであって、そうしたものは病院から離れたところでより容易に達成できるのだ。仮に私たちがアメリカじゅうで、それもできたら各家庭で、公衆衛生とか、たやすく医師にかかる機会とかをもっと広い範囲で得られるなら、私たちはもっと健康になれるのではないだろうか。家庭に医師が往診することは、病気を予防するし、人びとが治療を受け続けることを励ます。[*25] 医師と個人的に会えるなら、患者はより安心に感じる。医師たちは、アメリカ全土に開設される莫大な数の小さな診療所で働き、さらには往診をするべきだ。それではなぜ、医師との容易な接触が、叶わぬ夢のように思われるのだろうか。

保険や記録を付けることのプレッシャーと煩雑さとのせいで、医師たちはグループを形成することを余儀なくされる。こうしたグループは、未公開株式投資会社に買収されて、さらに大きな人材派遣会社が形成される。あるいは病院に買収されて、その病院がまた他の病院に買収される。未公開株式投資会社が動き出す前に利益を求めて血眼になるように、地域の経済寡占《オリゴポリー》は、手に届くものすべてを飲み込もうとする。新型コロナウイルスのパンデミックのあいだ、病院の人員が適切に配備されていたかどうかは、地域の需要ではなく、全米規模の貸借対照表と深くつながっていた。[*26] このことは医師としての基本的な労働とは何の関係もない。ベンジャミン・フランクリンが別の文脈で記したとおり、「病《マラディ》は、大きな診療所の莫大な給与や報酬、そして任命権のなかにある」。[*27]

コミュニティのなかで独立して働きたいと願う一人の女性医師に必要とされるのは、使命感を持ち、より少ない給与で満足し、なおかつ助けを借りることである。オハイオ州に住んでいる家族ぐるみの友人は、コミュニティの医師になることを人生の目標に掲げていた。そして彼女はなんとか当分のあいだはそれを続けられることになったが、それというのも、高い学歴を持ち、数学が得意なうえにコンピュータに詳しい彼女の夫が、保険や記録の対処にフルタイムで関わってくれることになったからだ。どう考えても、これはすべての医師が実行できる話というわけではない。

人びとは、家の近所に医師を求めている。その医師を知っていて、医師の方でも人びとを知っている……そんな人物で、人びとの語る話や病歴をつねに把握し、危ない時には担当してくれ、責任を感じてくれる医師を求めている。私たちは人びとが住んでいる場所から始まる医療システムを必要としている——人びとに対し自分のことは何でもかでも弁《わきま》えていろと、複雑な書類作成を習得しろと、隠されている費用を払えと、そんな期待を抱くようなシステムを必要としているわけではないのだ。

救命救急室が最初の、そして唯一の拠り所である大都市では、医療へのアクセスは難しい。だが、医師の数が少なく、病院が離れた場所にある、まさに広大な田舎や（郊外のさらに外側の）準郊外《エクサービア》地域では、医療を求めるのがさらに難しい。この一〇年間に、地方部では一二〇もの病院が閉鎖された。[*28] そのうちの二つは、今年三月、パンデミックのあいだに閉鎖された。病院のない地方にある郡に住むアメリカ人は、ひとたび新型コロナウイルスに感染すれば死に至りやすい。[*29] ウェストバージニアで感染の結果最初に死亡したとされる女性の場合、地元の病院が閉じたばかりだった。[*30]

都市や郊外でコミュニティの医師として生計を立てるのは難しいことだが、都市や郊外を離れるとほぼ不可能になる。それは医師たちがそういった仕事をしたがらないからではない――それを夢見る医師もいるのだ。ただ、患者一人ずつを相手にしながら、医師としての助言を与えたり治療したりして生計を立ててゆくのはきわめて難しい。総合医より専門医の方が多くの収入を得られるし、アメリカの若い医師たちはだいたいが借金を背負っている。その結果、小児科医や内科医を目指す医師の数はあまりにも少なくなっている。[*31] 老人医学の各分野に至っては消滅しつつあるほどだ。[*32]

専門医が一般開業医よりも収入が良いのは、手術の方がプライマリー・ケアより医療費を請求しやすく、保険会社に対しても診療報酬請求が楽だからだ。だが、プライマリー・ケアこそ、私たちの健康にとって、とりわけ私たちの子どもの健康にとって最も重要なものだ。ふたたび述べるが、利益を生むものが健康に直結するとは限らないのだ。

新型コロナウイルスはこうしたことすべてをさらに悪化させた。患者はプライマリー・ケアのための医師の診察を受けなくなっているから、その結果、小規模な開業医は廃業に追い込まれることになろう。政府の緊急援助は、医療という点で的外れの組織に集中している。つまり緊急援助の際に関心を引いた医療施設は大病院だったのだ。これは、本来は最も重要な医師たちが駆逐される恐れがあることを意味する。[*33] 新型コロナウイルスは、さらにずっと集中化が進んだ商業主義的な医療を加速させるが、それはアメリカ国民が必要としている医療とは正反対の道だ。

もし私たち自身が健康を評価するならば、金銭的に利益をもたらすものを変えられる。患者を一人ずつ治療するのが、難しいことであってはならないのだ。これまでも述べる機会があったように、医師たちは完璧ではない。だがもっと良いシステムのもとでは、二流の医師は平均的な医師に、平均的な医師はまともな医師に、まともな医師は良い医師に、そして良い医師は傑出した医師になることが可能だ。医師たちは、医療について、科学とヒューマニズムの双方によって訓練される存在だ。医療について考える際に、私たちは、ビルボードに掲げられた彼らの写真の陰に横たわる企業などでなく、医師たちのことを考える。彼らにふさわしい権威を医師たちに与えるならば、私たちは全員がより健康に、そしてより自由になれるだろう。

巨大な医療グループは、反トラスト法によって解散させられるべきだ。充分なサービスを受けていない地域でプライマリー・ケアを供給する医師たちは、借金の返済を免除されるべきだ。医師に対する発表禁止命令《ギャグオーダー》(裁判にかかわった参加者による情報またはコメントを制限する裁判所命令)は違法とされるべきだ。医師たちに、「パンデミックのために計画を立て、パンデミックに対処する役割を持つ、復活させる連邦政府機関」を任せるべきだ。そして、すべてのアメリカ国民が保険に入り、必要とする医療にアクセスできる……そんなシステムを構築するのに医師たちの力を借りられるよう、彼らを会議に招集すべきなのだ。

結論　私たちの回復

私たちは、私たちの病《マラディ》をあまりにも曖昧にしか捉えていない。自分たちの住む地方の住民たち、住んでいる界隈、つまりリアリティのあることに目を凝らそうにも地元のニュースを欠いているからだ。高速道路ぞいの病院のビルボード、あるいはテレビの画面に映る薬の広告は、私たちの病がますます悪化しているというのに、いまだにテクノロジーについての楽天的なメッセージを届け続けている。処置を受け、薬を手にできるかどうかはもちろん大切だ。だが、私たちの疾病についての知識、権限を与えられた医師、子どもたちと過ごす時間、そして医療を受ける権利……そうしたものを持つことはさらに大切である。どれだけプロパガンダを積み上げようと、それによってアメリカの商業主義的な医療における基本的な事実をぼやかすことはできない。つまり、私たちは早死にする特権を得るために、わざわざ余計で莫大な金額を支払っているという事実をだ。[*1]

　医療産業の複合体は、それ以外は夢物語だとして、私たちの病という現実をひたすら言い立てる。ロビイスト、広報活動の専門家たち、そして彼らの利用する多数の邪なインターネット・ミームは、私たちが変わることはできない、と告げてくるだろう。彼らの言では、医師の言葉に耳を傾けたり、子どもたちを人間らしく育てたり、真実を見出したり、健康な生活を楽しむことにはあまりにも費用がかかり過ぎるのだ。私たちは、自由とはその反対だと教えられる。すなわち、医療のことは何も知らず、私たちに対する配慮もないどこかの誰かが、可能なかぎり小さな労力で、できるだけ多くの金銭を私たちからむしり取ろうとする仕組みに私たちの体を差し出すこと……それこそ自由なのだと。そう、自由な国とは、これまでになく病んだアメリカ人の体から、これまでになく少数の人びとが、これまでになく大きな富を絞り取ることのできる国であることを、私たちは理解すべきなのだと。

だがそれは嘘だ。

シンプルな経済用語を用いてさえ、商業主義的な医療が効率的だという考えは、グロテスクだ。さらに、今の医療システムは費用対効果が良いと主張するのは笑止千万だ。私たちは、アメリカと同レベルの国々の国民と比べて、はるかに多額の費用を払わされ、しかもはるかに少ない医療しか受けられない。アメリカの公衆衛生の失敗、つまり新型コロナウイルスのパンデミックは、納税者に何兆ドルもの負担を負わせ、経済全体を混乱させただけだ。それを忘れないでおこう。人びとが病に倒れることを許容するのは、いくつかのセクター――現在のシステムを守ろうとするセクター――にとっては利益をもたらすが、それは国家をより貧しくし、経済を縮小させるだけだ。健康が悪化することは、ミレニアル世代（一九八一年～一九九七年に生まれた世代）にとっては前途にみじめな数十年が待ち受けていることを、ゼネレーションX（一九六五年～一九八〇年に生まれた世代）にとってはさらに貧しく短くなってしまう引退後の生活が待ち受けていることを、そしてすべての世代にとって繁栄が遠のくことを意味している。
あまりにも高額な医療は、医療として機能しえない。およそ半数のアメリカ人は、彼らがその対価を払えないために医療行為を避ける。何千万人というアメリカ人が保険に入れず、加えて何千万人は、不充分な保険にしか入っていない。私はまずまずの保険に加入していたのだが、それでも予期しない出費として何千ドルもの費用を払わなければならなかった。しかも請求書が届き始めた時、私はまだ入院していたため、最初は存在しなかったはずの費用延滞のペナルティまで支払う義務を負わされた。こうした金銭上のごまかしは、私たち全員に嫌悪感を抱かせる。[*2]
もちろん、現実はこれよりはるかにひどい。新型コロナウイルスのパンデミックのあいだに、何千万人というアメリカ人が職を失ったせいで保険も失ってしまった。失業者たちが医療から置き去りにされているため、今度はアメリカの全国民が苦しむ羽目となった。[*3] 新型コロナウイルス感染の診断がついていなかったせいで、彼らは新型コロナウイルスをまき散らしたし、治療を受けられなかったために彼らは苦しみ、そして亡くなった。アメリカでは驚くほど短い病気休暇しか与えられないため、アメリカのすべての国民がリスクに晒された。人びとは、体調が悪いにもかかわらず、職を失いたくないがために働きに行き、感染を広げてしまった。これらすべては、疑いようもなく異常であり、完全に避けることができる事態だった。
孤独と連帯はバランスを取り戻さなければならない。なぜ私たちがこの国できわめて孤独なのかと言えば、私たちを苦しめているものをどう語ったらよいかわからないからだ。患者となることが金銭や身分を失うのではという懸念を引き起こすことがなければ、私たちはより治療を受けやすくなり、回復できる可能性が高い。もし全員が自分たちの信頼する医師や看護師たちに診てもらうことができれば、私たちは生き延びられるだけでなく、より良い生活も享受できるだろう。

医療を受ける権利は、望ましい治療と長寿の基礎だが、それはまた、私たちすべてが今よりも自由になれる、より公正な世界への前進だ。医師となることが、従属的な地位を占めることではなく天職となり、小規模の開業医が巨大病院と渡り合うことができるように規則が改正されれば、私たちは全員がもっと健康になれるだろうし、苦痛の政治と訣別できる。不安や恐れは必要ない。私たちの病《マラディ》は治癒することが可能なのだ。

連帯とは、いくらかの人間が抜け出るのでなく、すべての人間がそれに参加することだ。私たちの病《マラディ》の原因の一つは、ごく小さな集団の経験を他のすべての人びとと切り離してしまう、極端な富の不平等だ。プラトンが理解していたように、極端な富の不平等は、いかにして民主主義《デモクラシー》が、寡頭政治《オリガーキー》、つまり富んだ者による支配になってしまうかを示している。[*4] 金銭が唯一の目標となれば、価値観は姿を消し、人びとは寡頭政の支配者《オリガーク》を真似るようになる。私たちは、なぜ自分たちの人生が縮められねばならないかについて疑問を抱く代わりに、そうしたオリガークたちの不死のファンタジーを称賛して、今現在そうした模倣に走っているのだ。超リッチな者たちの白日夢に耽溺する時、私たちはプラトンが呼ぶところの「富める者たちの街」と「貧しい者たちの街」を作り上げている「いかに小さかろうがどんな市《まち》も、富める者たちの街と貧しい者たちの街に実際に二分されるのだ。両者はお互いに争っている」」。

公衆衛生の危機が億万長者たちのぼろ儲けの機会《ボナンザ》になることを許してしまう時、私たちは自分たちの病を深刻なものとしてしまう。オリガークたちがオフショアで稼いだ何十億ドルものカネを見過ごす時、私たちはアメリカ人をより健康で自由にする機会を失う。新型コロナウイルスのパンデミックの初めの数週間で、二〇〇〇万人のアメリカ人が職を失ったのに対し、アメリカの億万長者たちは、彼らの富を総額で二八二〇億ドルも増やした。[*5]

私たちは医療を自分たちの権利として認め、医学的知識や地元の情報を真面目に受け止め、子どもたちのために時間を割き、医師たちに権限を与えなければならない。これらの教訓を現実のものとすることは、今現在はいくらかの資本を必要とするが、将来はるかに多くの金額を節約することになる。問題は、それにどれだけ金がかかるかではなく、それから得るものがどれほど大きくなるか、である。安定した公衆衛生は、医療費を削減し、経済を破壊するパンデミックのリスクを減少させる。人びとの子ども時代に投資することは、将来の精神的・肉体的な疾患を防ぎ、収監される期間を短くし、破綻する人生を少なくする。そして退職する人びとには、より多くの富をもたらすのだ。

ほとんどの医療保険業界は、まるで橋を管理する妖精のトロルが橋の通行料を徴収するように、ただ疾病から超過利潤を受け取るだけだ。これらのトロルが得た利益は、富をもたらすでもなく、サービスを提供するでもないのに、誤って国民総生産（GNP）に繰り入れられている〔ここでは著者はGDPやGDIでなくGNPを用いている〕。経済の論理では、可能な場合は中間業者を省くこととされているが、この場合はどのようにすればそれが可能かを私たちは知っている——つまり状況の中心に「単一支払者制度」（ヘルスケア原資が単一の公的機関によってのみ負担されている制度）を置き、民間保険はその周辺に配するのだ。国民が長寿な国々は、このシステムがきちんと機能していることを示してきた。アメリカでも、何千人もの医師がそのシステムに賛意を表してきた。[*6] もし私たち全員が、ともに健康への橋を渡ろうとするならば、トロルたちもそれを止めることはできない。

アメリカのような市場経済は、人びとへのケアがしっかりしている方が、より順調にまわってゆく。私たちが求めているのが自由ならば、私たちは人間の自由を市場原理の犠牲にするのではなく、市場の側が自由のために奉仕するようにするべきだ。市場経済学者のなかで最も影響力を持つフリードリヒ・ハイエクは、寡占《オリゴポリー》、つまり少数による支配に反対し、それをソヴィエトによる中央計画経済に準《なぞら》えた。[*7] アメリカの医療産業の複合体には、一握い寡占が集まっている。そしてアメリカのビッグデータ産業にも、一揃い寡占が集まっている。ハイエクの言うとおりだった——それらは壊されるべきなのだ。彼の最も有名な著書、『隷属への道』〔Friedrich Hayek, *The Road to Serfdom*, 1944、邦訳は二〇〇八年〕のなかで、ハイエクは、今まさに商業主義の医療が生み出しつつある「疎外された中産階級」についての憂慮を表明していた。彼は、文明化した国々では、誰もが医療を受ける権利を持つことを当然とみなしていた。ハイエクはこう記している。「国家が手を貸して社会保障の包括的なシステムを組織しようとすることは、きわめて健全である」。彼は「国家がこのようにしてより大きな保証を提供することと、個人的な自由を維持することのあいだには、何の矛盾もない」と理解していた。

事実、正しい政策は、より安心させることで私たちをさらに自由にする。これはとりわけ子どもたちについて言えることだ。今現在私たちが子どもたちともっと時間を過ごすことのできる社会構造を作り上げれば、未来のアメリカはもっと自由になるだろう。その間《かん》、私たちが彼らを養育するために必要とするサービスや権利は、市場を歪めるのではなく、むしろ理想的なものにするだろう。病気休暇や育児休暇、バカンスの時間が不充分という理由から、小さな子どもたちの父親や母親が仕事を辞めて新しい仕事を見つけようとすることには何の意味もない。それは彼らの人生にストレスを与えるが、同時に彼らの雇用主にも損害を与える。技能は、恒常的に、そして不必要に失われ、絶えず再教育をしなければならないため、新しいコストが発生する。病気休暇や育児休暇、そしてバカンスをとる権利のある従業員は、より幸せで生産性が高くなる。そのうえ彼らは、より自由だ。

私たちが当然とみなしているものは、急速に、しかも良い方向に向かうことができる。だが、また同時に、悪い方向に急速に進むこともあるだろう。今こそ、私たちが選択する時だ。パンデミックの最中《さなか》に適切でない人びとに金銭を譲り渡すことも、あるいはどのような時であれ自由を譲り渡してしまうことも簡単だ。それに対し、自由になるには労苦を伴うし、しかも好機を見出すには勇気が必要だ。現在の危機は、可能なものが何かを考え直すチャンスだ。医療は権利であるべきだし、医師たちは権限を持つ必要がある。真実は追及されるべきだし、子どもたちはより良いものとなったアメリカを目にすべきだ。

回復に向けての道を、今からともに歩もうではないか。

エピローグ　怒りと共感

感染症の最悪の時期が過ぎても、私がようやく夜に眠れるようになったのはそれから数週間経ってからだった。手足はまだずきずき痛んだし、手術のせいで体の右半身が痛んだ。そして看護師たちの声や、気がかりなことのせいで、たびたび目が醒めた。入院中の一月の長い夜に、私は家や故郷のことを思った——私が住んでいるニューイングランドの市《まち》のこと、そして私の出身地である中西部の一地方のことを。音楽を聴くことができるようになったため、妻はイヤフォンを購入し、古い黒い携帯電話を引っ張り出してきてくれた。何年も前に、私はその液晶画面をキエフの市《まち》の舗装用の敷石に落として壊してしまったのだ。気分が良い時には、それまで知らなかった音楽に耳を傾けたが、病室の閉じられたシェードの陰で、機器に囲まれ腕と胸にチューブをつながれたままでいる時は、何か馴染みのある曲が聴きたくなった。

そこで私は、ルシンダ・ウィリアムスの「カー・ホイールズ・オン・ア・グラヴェル・ロード」に耳を傾けながらいく夜も過ごした。タイトルになっている曲は、アメリカの広大さを思い出させてくれた——大西洋の近くにある私の入っていた都会の病院からインターステイト95を走って、アスファルトの道が終わる西方や南方のすべての小さな場所のことを。私は砂利道《グラヴェル・ロード》をゆくピックアップトラックのタイヤの音を思った。そのタイヤの音を、トウモロコシ畑にいるシカを探すピックアップの荷台に乗った子どもとして、ことさらはっきり聴いていたのだ。その曲は、悲しみのなかでせわしなくその場を去ることについて歌っている——子どもは誇りの混じった涙を頬に浮かべている。それは苦痛についての歌だ。私は、父方の祖父のものだった赤いピックアップトラック、つまり一九九二年型のドッジを運転している。私は東海岸でもそれに乗っている。私にとって、砂利道は故郷へ戻ることを意味しているし、タイヤが石にあたって、ガタガタ、ゴロゴロ言う時の音は、戻ることを、回復することを告げてくれるのだ。

私は今、ニューヘイヴンの自宅で過ごしている。新型コロナウイルスのパンデミックのせいで、娘に約束していたように、この春に彼女をオハイオ州に連れていくことはできないが、少なくとも私は生きていて、そうした見込みのある将来を思い描くことができる。本書は、私が末期《まつご》の孤独に対して激しい怒りを覚えている際に日記に記した、いくつかのメモから始まった。そう、その当時はあと数週間生きていたいと渇望していたものだが、それが手に入ったために、私は書く作業を続けた。肝臓には、小さくはなったがいまだに穴が一つ開いている。肝臓は治るものだ。私の肝臓は十中八九、もう感染はしていない。そのうちに抗生物質の服用を止める時が来るだろう。体に開けられた九つの穴は、今ではまるで傷跡の星座のように見える。両足の裏はまだずきずき痛むし、左の手、特に左の人差し指もそうだ。あと少ししたら、私はこの本の最後のピリオドをその人差し指でタイプするだろう。

諦めの徴《しるし》ではなく、良くなった徴《しるし》として。
私たちが回復したあとも、傷跡や症状は病の遺産《マラディ》として残る。回復とは、けっして元通りになることではない。私はもう以前の私とまるで同じというわけにはゆかない。私の英語の語彙は、まるで優しい雨雲から降り注ぐ雨にも似て、ほとばしるような勢いで戻ってきた。私は、以前とは少し違ったやり方で話し、書くようになっている。英語以外の言語はといえば、病気の影響は特に受けなかった。敗血症で苦しみ、半ば意識を失っていた空港から病院への道で、私はポーランド語を話していた。妻の残した携帯のメールを見ると、手術のあとではニンジンやセロリ、それとフランス語のミステリー小説を欲しがっている。私の体のかなりの部分の体毛は、手術や注射、チューブの挿入、そして心電図をとるために除毛された。かつては黒かった体毛が白く生え変わり、白かった体毛が黒く生え変わる——そんな箇所もあった。以前は、翌朝の最初の一杯のコーヒーを思いながら眠りについたものだが、今はコーヒーは匂いですら耐えられない。先日、半年ぶりになるが、国連安全保障理事会でブリーフィングをしようと準備をしていた時、ネクタイの結び方を忘れていることに気づいた。[*1]
歴史は、完全に私たちの背後にまわるわけではない。私たちは、かつての自分たちや過去の時代の大志と失敗から学び、新しい何ものかを創造することができる。私はもう以前の私に戻ることはなく、それを望んでもいない。そう、私は学んだし、だからこそより良い自分になることができたのだ。私はいまだに怒りを覚えているが、それは自分のためというより、私たち全員のためにだ。私たちは自由を持つに値するし、きちんと機能する医療が必要だ。個々のアメリカ人がどこにいるかはわからない。都市にいるのかもしれないし、都市から遠く離れた土地にいるかもしれない。また、（たとえばエクサービアのように）ハイウェイ沿いかもしれないし、アスファルトの道の尽きた砂利道を使う場所かもしれない。どこにいようと、医療は私たち国民から始まるのだ。そしてそれは私たちが医療を受ける権利を持つという前提から始まるのだ。そんなことをいうと夢《ドリーム》のように聞こえてしまうだろうか？夢は夢でも、それをアメリカンドリームとしようではないか。

この国のどこで暮らしていようとも、また病に倒れようとも、私たちは物体ではなく人間であり、人間として扱われた時にこそ力強くなれるのだ。私たちのうち誰もが、死に怒りを覚えるたいまつを手に持っている。そして一人ひとりが、他の人びとともに人生を渡ってゆく筏《いかだ》の厚板なのだ。健康とは、私たち全員が抱える脆弱さであると同時に、一緒になってより自由に生きていくために共有している機会でもある。私たちの病《マラディ》を治癒することは、人生の質を高め、自由を広げ、そして（一人の場合も、一緒になっての場合もあろうから）孤独と連帯のなかで私たちが幸福を追求することを可能にする。自由であるために私たちは健康を必要とする。そして健康であるためには、お互いが必要となるのだ。

謝辞

本書のなかで、私は欠陥ある医療システムからの私自身の脱出を描いているが、多くの人びとはいまだにそのなかに置かれているし、しかもパンデミックによって生み出された一層致命的な条件のもとにある。私は医師や医師助手（フィジシャン・アシスタント）、看護師、看護助手、医療技術者、搬送役の職員、清掃人、カフェテリアで働く人びとに、そしてある瞬間を、ある微笑みを、ある思考を共有できた仲間の患者たちに感謝している。ジュリー・クラーク・アイアランドと彼女の一家は、フロリダで私の面倒を見てくれた。コネティカット州に戻ってから、イザベラ・カリノウスカは、車に乗せて私を病院に連れて行ってくれた。自身の試練に立ち向かいながらも、（義父の）スティーブン・ショア医師は、私が病気について理解するのに力を貸してくれた。ティナ・ベネットは大変な時期に手を差し伸べてくれたし、シャロン・フォルクハウゼンは見舞いに来てくれた。ダニエル・マルコヴィッツ、サラ・ビルストン、ステファニー・マルコヴィッツ、そしてベン・ポラクは忠実な友人だった。タマール・ジェンドラーとダニエル・フォードロウィッツは私が仕事にかかれなかった時期に、かわりに仕事を担当してくれた。逆境の時にも書くことを続け、模範となってくれた学生たちに感謝する。

サラ・シルバースタインは、私が健康と歴史について考えるようにしてくれた。レア・ミラコールとナヴィッド・ハフェズ医師は私に本書を書くように言ってくれた。トレイシー・フィッシャーは実用的な面で助けてくれ、ウィル・ウルフスローとオーブリー・マーティンソンは思いやりをもって原稿を出版に導いてくれた。ティム・ダガンは、同情心にあふれ、賢明で信頼できるまさに編集者の鑑《かがみ》だった。エリザベス・ブラッドレー、アマンダ・クック、ローラ・ドンナ、スーザン・ファーバー、アーサー・ラヴィン医師、ジュリー・レイトン、（両親の）クリスティーン・スナイダーとE・E・スナイダー博士、レオーラ・タネンボーム、そしてドミトリー・ティモチコは草稿を読んでくれた。ジュリアンヌ・カファーは私にスープを運んでくれ、タイタス・カファーは私が何を言いたいか理解してくれた。ジェイソン・スタンリーは、一人で走れない私に伴走してくれた。エリン・クラーク、ミレナ・ラザーキヴィッチ、シャキーラ・マクナイト、ジーナ・パンザ、チェルシー・ロンカート、サラ・ウォルターズは私の子どもたちを教えてくれた。（子どもたち）ケイレヴとタリア・スナイダーは、本書執筆中の私の気を散らすどころか、そもそも本書を生む源であった。エミリーとアラン・スタンリーは子どもたちの良き友人だった。ンジェリ・タンデ医師にはニューヘイヴンの病院で近くにいてくれたことに、そして（妻の）マーシ・ショアには私を家に連れ帰ってくれたことに、感謝している。

訳者あとがき――「医療は人権であって特権であってはならない」

新型コロナウイルスに世界中が振りまわされています。「法が尊重され、報道機関が遠慮なく役割を果たしている民主政は、パンデミックに対し、権威主義的な政体よりはるかにうまく対応する」（八三頁）と本書でスナイダー氏が喝破するところを、私たちは日々思い知らされています。

二〇一九年一一月九日はベルリンの壁崩壊から三〇年でした。忙しい講演旅行を続けていたスナイダー氏をエストニアの首都タリンに連絡してつかまえて、*The Road to Unfreedom*, 2017という著書の邦題について相談をしました。その結果『自由なき世界――フェイクデモクラシーと新たなファシズム』という題名で今年の三月に出版されました。連絡した頃の氏は元気だったのです。ただ、一二月三日に講演先のミュンヘンで腹痛のため入院。二九日にはコネティカット州で生死の境をさまように至ります。まだ五〇歳で体力のあった氏は無事に生還できましたが、そこで体験したアメリカの医療システムの患者軽視や電子化の弊害、体を動かすこともままならないなかで感じた怒り《レイジ》や共感《エンパシー》を日記に記していました。九月八日に緊急出版された*Our Malady: Lessons in Liberty from a Hospital Diary*, 2020は、副題にあるとおり、出発はその病床日記でした。氏は本書で、アメリカ人のお題目になっている「自由」の真の意味での復活と個人の健康とのかかわり、あるいは孤独と連帯の相補といったことについての考察を深め、オーストリアでの長男誕生とアメリカでの長女誕生の経験から両国の医療システムや子育てについての比較を記し、トランプを頂点とするアメリカの権威主義体制《オーソリタリアニズム》や医療の世界にも及んでいる経済寡占《オリゴポリー》について具体的で鋭い批判をしています。

重厚な著作の多いスナイダー氏ですが、トランプの大統領就任直後にも *On Tyranny: Twenty Lessons from the Twentieth Century*, 2017 を緊急出版しました。四〇言語以上に訳され、今もってアメリカやヨーロッパではベストセラーリストに載っています。日本では、原著が出版されてからさして時をおかずに『暴政――20世紀の歴史に学ぶ20のレッスン』として拙訳を刊行しました（氏が教皇フランシスコに謁見した際の写真がありますが、教皇が小脇に抱える本を眺めたら、スペイン語で *Sobre la Tirania*……つまり『暴政』のスペイン語版でした）。ジョナサン・カーシュの書評によれば、二つの書は姉妹篇（companion volume）だそうですが、「二冊とも危機感から記されたものですが、深い省察と警告を含んでいるので古びない……むしろ必要がなくなればよいのですが、重要性は増すばかりでしょう」とロサンゼルスでパンデミックに対応している日系三世の小児科医ダイアンさんからのメールにもありました。

本書は訳者にとって、一一月に刊行されるタナハシ・コーツ氏の『僕の大統領は黒人だった』（Ta-nehisi Coates, *We Were Eight Years in Power*, 2017）につぐ訳書になります。ちなみに、コーツ氏の日本での紹介となった拙訳『世界と僕のあいだに』（二〇一七年）（*Between the World and Me*, 2015）も、世界中で依然としてベストセラーリストに載っています――とりわけ今年はＢＬＭ運動の再燃もありましたが、日本でもアメリカの黒人問題（正確には「白人問題」と言うべきなのでしょう）を理解するためとして紹介される機会がたびたびあります。スナイダー氏とコーツ氏のどちらもアメリカを代表するオピニオンリーダーと言ってもよいでしょうが、二人には、問題意識の共有がしばしば見られます。トランプの選出をなぜアメリカ社会が許したのかという分析はその最たるものですが、国民の多くにとっての「医療の不在」も同様です。ただし、たとえば、コーツ氏のクラック（黒人が中毒症状に陥りやすい安価なコカイン）に対して、スナイダー氏はオピオイド（白人が中毒症状に陥りやすい鎮痛剤）というように危機感を持つものにいくらか差が出ることは当然ですが。このオピオイド禍については、この文章の最後で少し書き加えますが、まさに由々しき問題です。オピオイド濫用、またそれとトランプ支持の相関については『自由なき世界』の第6章で細かく述べられていますし、むろん本書でも語られています。

九月一三日の読売新聞に、編集委員の鶴原徹也氏によるスナイダー氏へのロングインタビューが載りました。朝日新聞の国末憲人氏（現ヨーロッパ総局長）による二〇一六年四月五日付けのもの以来です——そちらでは、拙訳『ブラックアース——ホロコーストの歴史と警告』（二〇一六年）（*Black Earth, The Holocaust as History and Warning*, 2015）のテーマであるホロコーストや「エコロジカルパニック」を縦横に語っていましたが。氏の研究拠点としてイェール大学の他に、パーマネントフェロウを務めるウィーンのInstitut für Höhere Studien（ＩＨＳ）があります。現在ウィーンにいる氏は、インタビュー冒頭で次のように述べています。鶴原氏から快諾を得られたので、ここに引用します。これだけで本書の「導入的解説」になっているとも言えるからです（八つの段落を三つにしました）。

昨年末、病に倒れ、友人の付き添いでエール大学近くの病院に行きました。衰弱と苦痛を訴えますが、17時間放置されます。医師の診察を受けると、肝臓の膿瘍と敗血症。緊急手術でした。新年に意識を回復し、怒りを覚えました。米国が健康を基本的人権と認めていないことに、医療も拝金主義に染まり、国民本位の公的制度が不備なことに。米国のコロナ禍の惨状の一因は誤った医療制度にあります。疫病は医療の恩恵を受けづらい未熟練労働者やアフリカ系、ヒスパニック系ら貧しい住民に過酷です。

トランプ氏は真実と事実から目を背ける、願望と気分の政治家です。まずコロナウイルスの脅威に向き合わず、次に脅威だとしても米国には波及しないと吹聴した。希望的観測です。このため初動が遅れてしまった。政治的な思惑も絡むと私は見ています。トランプ氏周辺は当初ニューヨークで感染が拡大する中、被害は有色人種や民主党支持者らの多く住む都市に限られるはずだと見なしたようです。これも対策が後手に回った一因でしょう。

トランプ氏周辺は「自助」を強調する傾向が強い。福祉嫌いにも表れています。それは人種差別的な色合いも帯びる。支持者らにこう諭します。「福祉は有色人種や移民を助けるだけ。我ら白人は自立している。福祉は不要だ」　民主党支持者の多い都市、ミネアポリスで5月下旬に起きた黒人暴行死事件は象徴的です。犠牲者はコロナ禍に伴う飲食店の休業で警備員の職を失い、自身も感染していた。白人警官に対する怒りは全50州での抗議運動に発展しました。１９６０年代後半のベトナム反戦運動以来の規模でした。トランプ氏は大半が平和的な抗議運動を暴動と断じました。その言動は白人の間には「自分たちは暴徒の犠牲者だ」とする意識を与えたと私は考えます。「白人は無垢」という神話的な潜在意識を刺激したはずです。

訳者は、今年は、スナイダー氏による『自由なき世界』を三月に、パメラ・ロトナー・サカモト氏の『黒い雨に撃たれて』を七月に刊行し、一一月にはタナハシ・コーツ氏の『僕の大統領は黒人だった』が世に出ます。日系人の一家族を扱い、真珠湾後の強制収容や被爆体験をも描いた『黒い雨に撃たれて』、アフリカ系アメリカ人への長い迫害の歴史とそれに対する「賠償請求訴訟」までも視野に収めた『僕の大統領は黒人だった』と、人種主義をテーマにした書が続くわけですが、本書でも人種主義は顔を出します。たとえば、氏の友人についての印象的なエピソードを一つだけ抜き出します。

救急救命室の入り口に控えていた看護師たちは、私のことをあまり真剣に考えていないようだった。私が文句を言わなかったせいもあるが、私に付き添っていた女性〔ンジェリ・タンデ医師〕が、医師ではあっても黒人だったためだろう。〔中略〕さらに友人はそのレジデントに向かって、私が救急救命室を訪れるのは数日間で二度目であり、特別な注意が必要だと請け合った。だがレジデントは疑わしい様子で立ち去った……。〔中略〕おかげで私は、救急救命室に入る際に担当してくれた二人の看護師が通り過ぎるのが見えたし、話している内容も聞こえた。「あの人誰なの?」

「自分では医者だって言っているわね」。〔中略〕その晩に人種主義《レイシズム》が私の生きる可能性を害《そこな》ったように、人種主義は他の人びとの生きる可能性を、彼らの人生のいかなる瞬間においても害うものなのだ（一八頁〜二〇頁）。

そしてことが新型コロナウイルスに至ると、「死、そして死への恐怖は政治的な資源になりうる。独裁者は、すべての者に医療を行きわたらせるかわりに、人びとが死んでゆくのを見つめ、生き残った者たちの混乱した感情に便乗して権力の座にしがみつこうとするのだ。アメリカでは、最初に、しかも急速に亡くなったのは、概してトランプに投票しなかったアフリカ系アメリカ人だった」（八二頁。傍点訳者）。アフリカ系アメリカ人に限らず、独裁者が「病気や死を政治的な資源にする」ことについての警告は本書にしばしば登場します。

アメリカの新型コロナウイルスの惨状はおよそ先進国で起きていることとは思えません。トランプという権威主義体制の独裁者は、元々科学を信じない体質のうえに、「不都合な真実」からは目を背けます。ただ、こうした事態に立ち至ったのはなぜかと問うと、このパンデミックの起こる前にすでにあったものを考えねばなりません。アメリカの「過度に商業主義的な医療」に、またアメリカの「瓦解した社会保障制度」に、リーマンショック後の「ローカルメディアの消滅」に、さらに言えば「白人たちに対し、保険や公衆衛生を必要とするには、白人はあまりにも誇り高く、傑出した存在だと言い張る」政治屋ども（四六頁）の術中にはまった国民のエートスに、というようにアメリカのいくつもの特殊性があったのです。何より、アメリカではプライマリ・ヘルス・ケアが軽視されてゆくばかりです。しかも、大統領選の大きな争点である通称「オバマケア」がトランプ政権になって大きく後退したという実態があります。オバマケアの内容と変遷とについては概説書もたくさんありますので、スナイダー氏は触れていません。仮に政権交代があったら、「単一支払者制度」までラディカルな政策はとれずとも、アメリカの医療制度はずいぶんと変わることでしょう。

二〇二〇年のアメリカが先行き記憶されるだろう三つのもの。①新型コロナウイルスのパンデミック、②ＢＬＭ運動の再燃、③大統領選挙――現時点ではどれもが混沌としています。本文・原註とも原稿を完成させたのは九月中でしたが、あえて「訳者あとがき」を一〇月二〇日に記すのは、まだ訳者は学生の身でしたが、この日に母が逝ったためです。それからの医学の進歩には目を瞠るのみですが、新型コロナウイルスへの対応について考えると、本書第4章の記述にはまるでわが国のことかと思わされるところが多々あります。

本書では、医療や薬剤について極端に専門的な表現は幸いにして少ないのですが、池田初恵（内科医）には訳文すべてに目を通したうえで言い回しを随所で修正してもらいました。また、親しい友人の笠原忠さん（元慶應義塾常任理事）に、いくつもの疑問点を確認することができました。氏はＮＩＨで高名なジョースト・Ｊ・オッペンハイム博士（ナチスの魔の手を逃れた半生を綴った自伝も興味深いものです）のもとで研究生活を送り、その後も交流を重ねてきました。日米の比較の点でも有り難い存在でした。旧友の小川芳子さん（元共立薬科大学教授）が、コロラド州ボウルダーに永住しているお嬢さんのために出かけたことも思い出します。保険自体は「条件の良い」ものでしたが、大がかりな手術にもかかわらず退院を急かされるので、あとは自宅で看護師の来訪を受けながら療養というためでした。また、一〇代からの親友のお子さんも、（まさに一〇八頁を想起させますが）一九八〇年代に新生児の心臓病の手術を名門大学病院で受けました。Intensive Care Nursery に長いあいだいられたのも企業駐在員として条件の良い保険に入っていたおかげと述懐するのに加え、（一〇〇頁にも出てきますが）ヴォランティアについて、退院後も親身なケアが有り難かったとも話しています。二度の長い滞米期間に何名もの大統領を知った吾妻靖子さんにもお知恵とお力を借りました。そして、池田詩穂にはいつものように原註の組み直しをはじめ雑用を手伝わせました。訳注†3においても言及しましたが、鈴村直樹君の五四歳での死はあまりにも早すぎました。慶應義塾常任理事として活動し始めてまだ一年でした。闊達で素晴らしい語り手の彼からオーストリアの話をよく聞いたものです。

本書におけるスナイダー氏のスタンスを代弁したいと思います。原註には先行研究の類は見受けられず、雑誌記事からの引用が主です。博覧強記の氏のこと、膨大な読書が背後にあるのはむろんです。ただ、病床日記から出発したアメリカ社会の理念と現実の乖離への考察と、商業的な医療システムや、とりわけトランプの新型コロナウイルスへの対応――これについて旧友の向井清史君（元名古屋市立大学副学長）とフーコーの「生権力」や「生政治」という言葉を使ってやりとりをしたのは確認すると七月上旬でした――への告発の書ですから、あえてそうしたのです。訳者の側は、イリイチ、ソンタグ、エンゲルハートなどの読書体験から得たタームや概念を勝手に当てはめていましたが。

スナイダー氏が父方・母方とも祖父がオハイオ州の農民であり、氏が痛みを口にせず、また痛みから安易に逃げぬ精神を二人から受け継いでいたとは、今回初めて知りました。「一九九〇年代に出現した「ピルミル」――むやみに薬剤［オピオイド］を処方する医療関係者――の出現」（「痛みは心拍数、血圧、呼吸数、体温に続く第五のバイタルサイン」という表現もあるようですが、「治療とは痛みと戦うこと」という常識は失せて、医師が逸脱するまで痛みに対処する時代となりました）は、なんと「オハイオ州ポーツマス市で、祖父母どちらの農場からも一一〇キロほど離れた場所だった。このポーツマスは、私が若かったころは製造業で繁栄していた町だった。ポーツマスに郡庁があるサイオト郡の八万人の住民は、一年でオピオイドを一〇〇〇万回分も処方された……オピオイドは、男女を問わず、すべての年齢層の、さまざまな経歴を持つ人びとにとって重要な問題だ。この薬のせいもあって、南部の白人女性の寿命は短い。また、中年の白人男性の平均余命は伸びないままだ」（四三～四四頁）。オピオイド禍により失われた人命も経済的損失も、現在までの新型コロナウイルスによる被害とは比べものにならない大きさです。さらにはオピオイド中毒からの更生も、なんと兆円産業化しているのです。

追記

校正ゲラを利用して、一二月一日現在アメリカで確認されている新型コロナウイルスの感染者数と死者数をアップデートしておきます。累計でそれぞれ一三五四万六七八七人と二六万八一二九人に達しています。バイデン新政権のもとでアメリカの医療システムはどうなってゆくのでしょうか。

原　註

訳者による補いは〔　〕のなかにあります。邦訳書についての訳者の調べは（　）のなかに記しました。

プロローグ　孤独と連帯

＊1　“Comtee of Boston About Abuse of the Town in England 1770,” available online in the National Archives.

＊2　Madison to Jefferson, April 4, 1800, available online in the National Archives.

＊3　この講演は録画されている : www.dialoguesondemocracy.com /copy-of-timothy-snyder; I begin at 11:00.〔または https://lisa.gerda-henkel-stiftung.de/can_the_united_states_be_a_free_country_present_risks_and_future_challenges?nav_id=8849〕

序　論　私たちの病《マラディ》

＊1　Lenny Bernstein, “U.S. Life Expectancy Declines Again,” *Washington Post,* November 29, 2018.

＊2　Linda Villarosa, “Why America’s Black Mothers and Babies Are in a Life-or-Death Crisis,” *New York Times,* April 11, 2018.

＊3　“The Economic Consequences of Millennial Health,” Moody’s Analytics for Blue Cross Blue Shield, 2019.

＊4　著者はこの表現を次から借りている。Peter Bach, “The Policy, Politics, and Law of Cancer,” conference at the Yale Law School, February 9, 2018.

＊5　Frederick Douglass, “West Indian Emancipation,” speech, August 3, 1857.

第1章　医療は人間としての権利だ

＊1　アメリカ医師会（American Medical Association）は医療についての、人種を始めとする不均衡について収集した情報をウェブサイトに載せている。

＊2　*On Tyranny: Twenty Lessons from the Twentieth Century*（New York: Tim Duggan Books, 2017）. 池田訳『暴政』の第9章「自分の言葉を大切にしよう」を参照。

＊3　「結果を忘れ、誤って報告をした」のを著者が知っているのは、自分のカルテを見たからである。

＊4　携帯電話と集中力については、次を参照。Adrian F. Ward et al., “Brain Drain: The Mere Presence of One’s Own Smartphone Reduces Available Cognitive

Capacity," *Journal of the Association for Consumer Research* 2, no. 2 (2017); Seungyeon Lee et al., "The Effects of Cell Phone Use and Emotion-Regulation Style on College Students' Learning," *Applied Cognitive Psychology,* June 2017.

＊5　これは著者の憶測ではない。著者は自分のカルテを見ていたので、「誰かが目にし、見過ごされた肝臓の問題に気づいた」タイミングが明瞭なのだ。

＊6　これは著者がトニー・ジャットと次で議論したテーマである。*Thinking the Twentieth Century* (New York: Penguin, 2012).（邦訳は『20世紀を考える』、2015年）。著者は、当然と思っているもの——医療面での競争——が実際は人為的なものであることを明らかにしている。こうした方向でもっと広範な議論を知るには次を参照。Rutger Bregman, *Humankind* (New York: Little, Brown, 2020).

＊7　「ほかの人びとが私よりずっと前に気づいたことだが」のなかには第一次世界大戦後の国際的な公衆衛生の大義の点で活動的だった東ヨーロッパの医師たちの一団を含んでいる。著者は「商業主義的な医療」(commercial medicine) という語を、彼らの一人Andrija Štamparから借用した〔アンドリヤ・シタンパル（1888-1958）は、クロアチア出身の社会医学の権威である〕。次を参照。George Vincent Diary, July 18, 1926, Rockefeller Foundation Archives, RG 12. 著者がそれを参照したのは、そうした医師たちについての著作を完成する段階にあるサラ・シルヴァースタインのおかげである。

＊8　その手紙と内容については拙稿を参照。Timothy Snyder, "How Hitler Pioneered Fake News," *New York Times,* October 16, 2019. ヒトラーの世界観については拙著を参照。*Black Earth* (New York: Tim Duggan Books, 2015).（池田訳は『ブラックアース』、2016年）。著者には関連する著作として次もある。*Bloodlands* (New York: Basic Books, 2010).（邦訳は『ブラッドランド』、2017年）。

＊9　ホロコースト研究のほとんどのテーマと同じで、ゲットーのなかでの病気は次で論ぜられている。Raul Hilberg, *The Destruction of the European Jews* (New Haven, Conn.: Yale University Press, 2003), 1: 271–74.（ラウル・ヒルバーグの邦訳は『ヨーロッパ・ユダヤ人の絶滅』、2012年）。

＊10　ドイツの収容所についての標準的な記述としては次を参照。Nikolaus Wachsmann, *KL: A History of the Nazi Concentration Camps* (New York: Farrar, Straus and Giroux, 2015).

＊11　Golfo Alexopoulos, *Illness and Inhumanity in Stalin's Gulag* (New Haven, Conn.: Yale University Press, 2017).

＊12　「彼が真実を言いあてていたことを理解したのは、ずいぶんあとになってからのことだった」に関連してだが、ある看護師がかつて著者にとって健康の基礎となるのは「睡眠、栄養、関係性」と定義してくれたことがあっ

た。

＊13　C. Lee Ventola, "Direct-to-Consumer Pharmaceutical Advertising: Therapeutic or Toxic?" *P&T* 36, no. 10 (2011): 669.〔*P&T* は *Pharmacy and Therapeutics*〕次も参照。Ola Morehead, "The 'Good Life' Constructed in Direct-to-Consumer Drug Advertising," unpublished manuscript, 2018.

＊14　Raj Chetty et al., "The Fading American Dream: Trends in Absolute Income Mobility Since 1940," *Science,* April 28, 2017.

＊15　Bruce Western and Jake Rosenfeld, "Unions, Norms, and the Rise in U.S. Wage Inequality," *American Sociological Review* 76, no. 4 (2011): 513–37; Jason Stanley, *How Fascism Works* (New York: Random House, 2018), chapter ten.（ジェイソン・スタンリーの邦訳は『ファシズムはどこからやってくるか』、2020年）。

＊16　Alana Semuels, " 'They're Trying to Wipe Us Off the Map.' Small American Farmers Are Nearing Extinction," *Time,* November 27, 2019.

＊17　Matt Perdue, "A Deeper Look at the CDC Findings on Farm Suicides," National Farmers Union, blog, November 27, 2018; Debbie Weingarten, "Why Are America's Farmers Killing Themselves?" *Guardian,* December 11, 2018.〔CDC は、本書第3章の＊2に当たる段落にあるように、疾病管理予防センターを指す。Centers for Disease Control and Prevention の略称〕。

＊18　ポーツマス市については次を参照。Sam Quinones, *Dreamland: The True Tale of America's Opiate Epidemic* (London: Bloomsbury, 2016).

＊19　Andrew Gelman and Jonathan Auerbach, "Age-Aggregation Bias in Mortality Trends," *Proceedings of the National Academy of Sciences,* February 16, 2016.

＊20　Anne Case and Angus Deaton, "Rising Morbidity and Mortality in Midlife Among White Non-Hispanic Americans in the 21st Century," *Proceedings of the National Academy of Sciences,* December 8, 2015.〔論文タイトルには White Non-Hispanic Americans というカテゴライゼーションとなっている。論文中では black non-Hispanics も用いられている。過去の国勢調査でもそうしたカテゴライゼーションは流動的であった。人種とエスニシティの観点から捉えることもできる〕。

＊21　J. Wasfy et al., "County Community Health Associations of Net Voting Shift in the 2016 U.S. Presidential Election," *PLOS ONE* 12, no. 10 (2017); Shannon Monnat, "Deaths of Despair and Support for Trump in the 2016 Presidential Election," Research Brief, 2016; Kathleen Frydl, "The Oxy Electorate," *Medium,* November 16, 2016; Jeff Guo, "Death Predicts Whether People Vote for Donald Trump," *Washington Post,* March 3, 2016; Harrison Jacobs, "The Revenge of the 'Oxy Electorate' Helped Fuel Trump's Election Upset," *Business Insider,* November 23, 2016.

＊22　*The Road to Unfreedom: Russia, Europe, America*（New York: Tim Duggan Books, 2018), chapter six. 拙著『自由なき世界』（池田訳、2020年）の第6章でのサドポピュリズムについての議論を参照。また、公害〔公害については第3章の＊5なども参照〕や自己犠牲〔自己犠牲についてはこの章の＊20の付せられた後の文なども参照〕については次を参照。Arlie Hochschild, *Strangers in Their Own Land*（New York: The New Press, 2016).（A. R. ホックシールドの邦訳は『壁の向こうの住人たち――アメリカの右派を覆う怒りと嘆き』、2018年）。

＊23　Jonathan M. Metzl, *Dying of Whiteness*（New York: Basic Books, 2019). 基礎となっているテキストは次から。W. E. B. Du Bois, *Black Reconstruction*（New York: Harcourt, Brace, 1935).

＊24　たとえば、次を参照。Washington to Madison, October 14, 1793; and Washington to Jefferson, October 11, 1793, both available online at the National Archives.

＊25　1793年フィラデルフィアでの議会を指す。次も参照。Danielle Allen, *Our Declaration*（New York: Liveright, 2014).

第2章　再生は子どもたちとともに始まる

＊1　Corinne Purtill and Dan Kopf, "The Class Dynamics of Breastfeeding in the United States of America," *Quartz*, July 23, 2017.

＊2　その方面の科学への導入として手に入れやすいものとしては、Center on the Developing Child at Harvard University. が集めた調査概要を参照。

＊3　C. Bethell et al., "Positive Childhood Experiences and Adult Mental and Relational Health in a Statewide Sample," *JAMA Pediatrics*, November 2019.〔JAMAはJournal of the American Medical Association〕.

＊4　アマゾンとグーグルの創始者たちがモニター視聴が許されていない学校を見学したこと、スティーヴ・ジョブズが自分の子どもたちをアップル社の製品から遠ざけていることを知るのは有益である。次を参照。Nicholas Kardaras, *Glow Kids*（New York: St. Martin's Griffin, 2016), 22–32.　シリコンヴァレーでモニター視聴が許されている学校に子どもたちを入れる人間は、著者の知人には一人もいない。ベビーシッターでさえ、依存症状の出る製品を家庭内に持ち込まないという取り決めに署名することを要求される。次を参照。Nellie Bowles, "Silicon Valley Nannies Are Phone Police for Kids," *New York Times*, October 26, 2018.

＊5　Barbara Fredrickson, "The Broaden-and-Build Theory of Positive Emotions," *Philosophical Transactions of the Royal Society of London, Biological Sciences*, September 29, 2004, 1367–77.

＊6　V. Felitti et al., "The Relationship of Childhood Abuse and Household Dysfunction to Many of the Leading Causes of Death in Adults," *American Journal of Preventive Medicine,* May 1998, 245–58.
＊7　子ども時代の成長の実際的な経験についての一連の論文を知るには次の号を参照。"Advancing Early Childhood Development: From Science to Scale," *Lancet,* October 4, 2016.
＊8　Heather Boushey, *Finding Time*（Cambridge, Mass.: Harvard University Press, 2016）.

第3章　真実が私たちを自由にする

＊1　Laurie Garrett, "Trump Has Sabotaged America's Coronavirus Response," *Foreign Policy,* January 31, 2020; Oliver Milman, "Trump Administration Cut Pandemic Early Warning Program in September," *Guardian,* April 3, 2020; Gavin Yamey and Gregg Gonsalves, "Donald Trump: A Political Determinant of Covid-19," *British Medical Journal,* April 24, 2020; David Quammen, "Why Weren't We Ready for the Coronavirus?" *New Yorker,* May 4, 2020.
＊2　Jimmy Kolker, "The U.S. Government Was Not Adequately Prepared for Coronavirus at Home or Abroad," *American Diplomat,* May 2020.
＊3　Jerome Adams, tweet, February 1, 2020.
＊4　Erin Allday and Matt Kawahara, "First Known U.S. Coronavirus Death Occurred on Feb. 6 in Santa Clara County," *San Francisco Chronicle,* April 22, 2020; Benedict Carey and James Glanz, "Hidden Outbreaks Spread Through U.S. Cities Far Earlier Than Americans Knew, Estimates Say," *New York Times,* April 23, 2020; Maanvi Singh, "Tracing 'Patient Zero': Why America's First Coronavirus Death May Forever Go Unmarked," *Guardian,* May 26, 2020.
＊5　Frank Harrington, "The Spies Who Predicted COVID-19," *Project Syndicate,* April 16, 2020.
＊6　Donald Trump, tweet, January 24, 2020.
＊7　Donald Trump, tweet, February 7, 2020.
＊8　Motoko Rich and Edward Wong, "They Escaped an Infected Ship, but the Flight Home Was No Haven," *New York Times,* February 17, 2020.
＊9　Maegan Vazquez and Caroline Kelly, "Trump Says Coronavirus Will 'Disappear' Eventually," CNN, February 27, 2020.
＊10　Juliet Eilperin et al., "U.S. Manufacturers Sent Millions of Dollars of Face Masks, Other Equipment to China Early This Year," *Washington Post,* April 18, 2020. 次も参照。Aaron Davis, "In the Early Days of the Pandemic, the U.S. Government Turned Down an Offer to Manufacture Millions of N95 Masks in America,"

Washington Post, May 10, 2020.

＊11 Lauren Aratani, "US Job Losses Pass 40m as Coronavirus Crisis Sees Claims Rise 2.1m in a Week," *Guardian,* May 28, 2020.

＊12 Donald Trump, tweet, February 24, 2020.

＊13 Eric Topol, "US Betrays Healthcare Workers in Coronavirus Disaster," Medscape, March 30, 2020; Timothy Egan, "The World Is Taking Pity on Us," *New York Times,* May 8, 2020.〔本書の凡例2を参照のこと〕

＊14 〔引用されることがきわめて多い〕次による。Johns Hopkins University Coronavirus Research Center, coronavirus.jhu.edu/us-map, webpage accessed May 27, 2020.

＊15 ユヴァル・ノア・ハラリが次で同様の主張をしている。"The World After Coronavirus," *Financial Times,* March 20, 2020. Hobbes put it this way: トマス・ホッブズは1651年刊行の『リヴァイアサン』でそれをこう記している。「科学の欠如、つまり正当な理由を知らぬことは、他者の助言や権威に頼る人物を退かせる、否、抑圧する」。Thomas Hobbes, *Leviathan,* ed. J.C.A. Gaskin（Oxford: Oxford University Press, 2008 [1651]), 69.（『リヴァイアサン』の邦訳は複数)。

＊16 Joseph Magagnoli et al., "Outcomes of Hydroxychloroquine Usage in United States Veterans Hospitalized with Covid-19," medRxiv, April 16, 2020; Mayla Gabriela Silva Borba et al., "Effect of High vs. Low Doses of Chloroquine Diphosphate as Adjunctive Therapy for Patients Hospitalized with Severe Acute Respiratory Syndrome Coronavirus 2（SARS-CoV-2）Infection," *JAMA Network Open,* April 24, 2020; Toluse Olorunnipa, Ariana Eunjung Cha, and Laurie McGinley, "Drug Promoted by Trump as 'Game-Changer' Increasingly Linked to Deaths," *Washington Post,* May 16, 2020.〔medRxivは、コールド・スプリング・ハーバー研究所（CSHL）と医学系雑誌出版社BMJ、イェール大学の共同運営によるプレプリントサービスで、査読前の医学分野の論文を受付する無料のプラットフォーム。2019年6月から運営開始〕。

＊17 Michael D. Shear and Maggie Haberman, "Health Dept. Official Says Doubts on Hydroxychloroquine Led to His Ouster," *New York Times,* April 22, 2020; Joan E. Greve, "Ousted U.S. Government Scientist Files Whistleblower Complaint over Covid-19 Concerns," *Guardian,* May 5, 2020.

＊18 Peter Baker, "Trump Moves to Replace Watchdog Who Identified Critical Medical Shortages," *New York Times,* May 1, 2020.

＊19 David Smith, "Coronavirus: Medical Experts Denounce Trump's Latest 'Dangerous' Treatment Suggestion," *Guardian,* April 24, 2020.

＊20 Plato, *The Republic,* book 9.（プラトン『国家』第9巻。邦訳は複数）次の調

査報道がこれを裏付けている。Edward Lucas, "Inside Trump's Coronavirus Meltdown," *Financial Times,* May 14, 2020. 中国の初期の対応について、次も同様の主張をしている。Zeynep Tufekei, "How the Coronavirus Revealed Authoritarianism's Fatal Flaw," *Atlantic,* February 22, 2020.

＊21 Gabriella Borter and Steve Gorman, "Coronavirus Found on Cruise Ship as More U.S. States Report Cases," Reuters, March 6, 2020.

＊22 "Remarks by President Trump and Vice President Pence at a Meeting with Governor Reynolds of Iowa," WhiteHouse .gov, May 6, 2020.

＊23 Kate Rogers and Jonathan Martin, "Pence Misleadingly Blames Coronavirus Spikes on Rise in Testing," *New York Times,* June 15, 2020; Michael D. Shear, Maggie Haberman, and Astead W. Herndon, "Trump Rally Fizzles as Attendance Falls Short of Campaign's Expectations," *New York Times,* June 20, 2020.

＊24 Khalil Gibran Muhammad, *The Condemnation of Blackness* (Cambridge, Mass.: Harvard University Press, 2019), especially chapter two.

＊25 ロシアのプロパガンダのタイムラインについては次を参照。"Disinformation That Can Kill: Coronavirus-Related Narratives of Kremlin Propaganda," Euromaidan Press, April 16, 2020; see also the continuing work of EU vs. Disinfo, euvsdisinfo.eu.

＊26 Rikard Jozwiak, "EU Monitors See Coordinated COVID-19 Disinforma-tion Effort by Iran, Russia, China," *RFE/RL,* April 22, 2020; Julian E. Barnes, Matthew Rosenberg, and Edward Wong, "As Virus Spreads, China and Russia See Openings for Disinformation," *New York Times,* March 28, 2020.

＊27 Alex Isenstadt, "GOP Memo Urges Anti- China Assault over Coronavirus," Politico, April 24, 2020.

＊28 "China Didn't Warn Public of Likely Pandemic for 6 Key Days," Associated Press, April 15, 2020.

＊29 天然痘のワクチンはエドワード・ジェンナーにより19世紀初頭にイングランドで始まった。罹患した患者に生じた膿疱や痂皮の一部を未感染者に接種（inoculation）する人痘接種法（variolation）というもう一つの予防療法は、それ以前から中国、インド、オスマントルコ帝国で知られていた。天然痘は既にワクチンで根絶されている。

＊30 著者は『ブラックアース』の終章のなかで気候変動について同様の主張をしている。

＊31 著者はトニー・ジャットとは恐怖の政治について、『20世紀を考える』で語り合った。

＊32 セントルイスで最初に亡くなった12人は黒人だった。ある黒人看護師は、彼女自身が勤務していた病院から4度も追い返された後に亡くなった。ア

フリカ系アメリカ人は、最初の犠牲者のうち、デトロイトでは40%、シカゴでは67%、ルイジアナ州では70%を占めた。次を参照。Ishena Robinson, "Black Woman Dies from Coronavirus After Being Turned Away 4 Times from Hospital She Worked at for Decades," *The Root,* April 26, 2020; Fredrick Echols, "All 12 COVID-19 Deaths in the City of St. Louis Were Black," *St. Louis American,* April 8, 2020; Khushbu Shah, "How Racism and Poverty Made Detroit a New Coronavirus Hot Spot," Vox, April 10, 2020. 次も参照。Sabrina Strings, "It's Not Obesity. It's Slavery," *New York Times,* May 25, 2020; Rashad Robinson, "The Racism That's Pervaded the U.S. Health System for Years Is Even Deadlier Now," *Guardian,* May 5, 2020.

＊33 Betsy Woodruff Swan, "DOJ Seeks New Emergency Powers amid Coronavirus Pandemic," Politico, March 21, 2020.

＊34 Julian Borger, "Watchdog Was Investigating Pompeo for Arms Deal and Staff Misuse Before Firing," *Guardian,* May 18, 2020; Veronica Stracqualursi, "Who Trump Has Removed from the Inspector General Role," CNN, May 16, 2020.

＊35 Donald Trump, *Fox and Friends,* March 30, 2020.〔「フォックス&フレンズ」はフォックステレヴィの朝のトーク番組〕民主的選挙への国外からの干渉についての徹底した史書として次を参照。David Simmer, *Rigged*(New York: Knopf, 2020).

＊36 Tweets of April 17, 2020.

＊37 アマルティア・セン〔ノーベル経済学賞受賞者〕は飢饉についてこの点を主張している。疾病については次を参照。Thomas Bollyky et al., "The Relationships Between Democratic Experience, Adult Health, and Cause-Specific Mortality in 170 Countries Between 1980 and 2016," *Lancet,* April 20, 2019; also "Diseases Like Covid-19 Are Deadlier in Non-Democracies," *Economist,* February 18, 2020.

＊38 Shefali Luthra, "Trump Wrongly Said Insurance Companies Will Waive Co-pays for Coronavirus Treatments," Politifact, March 12, 2020; Carol D. Leonnig, "Private Equity Angles for a Piece of Stimulus Windfall," *Washington Post,* April 6, 2020.

＊39 Réka Kinga Papp, "Orbán's Political Product," *Eurozine,* April 3, 2020; Andrew Kramer, "Russian Doctor Detained After Challenging Virus Figures," *New York Times,* April 3, 2020; Andrew Kramer, " 'The Fields Heal Everyone': Post-Soviet Leaders' Coronavirus Denial," *New York Times,* April 2, 2020; "Philippines: President Duterte Gives 'Shoot to Kill' Order amid Pandemic Response," Amnesty International, April 2, 2020; "In Turkmenistan, Whatever You Do, Don't Mention the Coronavirus," *RFE/RL,* March 31, 2020.〔*RFE/RL*は、Radio Free Europe / Radio Libertyであり、アメリカ連邦議会の出資による、現在28言語で放送

されているラジオやインターネットの報道機関〕。

* 40 中国での死者数は信じがたいものと思える。ロシアも死者数を控えめにしているように見える。“MID RF prizval FT i NYT,” *RFE/RL,* May 14, 2020; Matthew Luxmoore, “Survey: 1 in 3 Russian Doctors Told to ‘Adjust’ COVID-19 Stats,” *RFE/RL,* May 22, 2020; Anna Łabuszewska, “Defilada zwycięstwa nad koronawirusem i czeczeński pacjent,” *Tygodnik Powszecnhy,* May 23, 2020. 次も参照。Manas Kaiyrtayuly, “Kazakh COVID-19 Cemetery Has More Graves Than Reported Coronavirus Victims,” *RFE/RL,* May 25, 2020.

* 41 “ ‘It’s Horrific’: Coronavirus Kills Nearly 70 at Massachusetts Veterans’ Home,” *Guardian,* April 28, 2020; Candice Choi and Jim Mustian, “Feds Under Pressure to Publicly Track Nursing Home Outbreaks,” Associated Press, April 15, 2020.

* 42 Kathleen McGrory and Rebecca Woolington, “Florida Medical Examiners Were Releasing Coronavirus Death Data. The State Made Them Stop,” *Tampa Bay Times,* April 29, 2020.

* 43 Maggie Koerth, “The Uncounted Dead,” FiveThirtyEight, May 20, 2020.

* 44 この観点について重要な議論としては次を参照。Shoshana Zuboff, *The Age of Surveillance Capitalism*（London: Profile Books, 2019）; Franklin Foer, *World Without Mind*（New York: Penguin, 2017）; also Naomi Klein, “How Big Tech Plans to Profit from the Pandemic,” *Guardian,* May 10, 2020.

* 45 ビッグデータはもちろん利潤追求以外の目的で用いることができる。ただし、始まったばかりだが健康にビッグデータを用いるには思慮ある努力が必要である。次を参照。 Adrian Cho, “Artificial Intelligence Systems Aim to Sniff Out Signs of COVID-19 Outbreaks,” *Science,* May 12, 2020.

* 46 Shikha Garg et al., “Hospitalization Rates and Characteristics of Patients Hospitalized with Laboratory-Confirmed Coronavirus Disease 2019—COVID-NET, 14 States, March 1–30, 2020,” *CDC Morbidity and Mortality Weekly Report,* April 17, 2020; Bertrand Cariou et al., “Phenotypic Characteristics and Prognosis of Inpatients with COVID-19 and Diabetes: The CORONADO Study,” *Diabetologia,* May 7, 2020.

* 47 Safiya Umoja Noble, *Algorithms of Oppression*（New York, NYU Press, 2018）; Virginia Eubanks, *Automating Inequality*（New York: St. Martin’s, 2017）.

* 48 われわれはスマート体温計で測った体温の（身の毛もよだつが）隠された大量集計からどんな都市が感染しているかを判別できたが、それは実際に起きた後のことだった。次を参照。Edward Lucas, *Cyberphobia*（New York: Bloomsbury, 2015）; Roger McNamee, *Zucked*（London: Penguin, 2019）; Nicholas Carr, *The Shallows*（New York: W. W. Norton, 2011）.（ニコラス・カーの邦訳は『ネット・バカ——インターネットがわたしたちの脳にしていること』、

2010年。ちなみに、原著ハードカヴァーはNotesの表示と違い、アメリカで2010年に刊行されている)。

＊49 著者は「デジタル政治」について以下で議論している。"What Turing Told Us About the Digital Threat to a Human Future," *New York Review Daily,* May 6, 2019; and in the expanded German text *Und wie elektrische Schafe träumen wir. Humanität, Sexualität, Digitalität* (Vienna: Passagen, 2020). 次を参照。Brett Frischmann and Evan Selinger, *Re-engineering Humanity* (Cambridge: Cambridge University Press, 2018); Jaron Lanier, *Ten Arguments for Deleting Your Social Media Accounts Right Now* (New York: Henry Holt, 2018); Martin Burckhardt, *Philosophie der Maschine* (Berlin: Matthes and Seitz, 2018). (ジャロン・ラニアーの邦訳は、『今すぐソーシャルメディアのアカウントを削除すべき10の理由』、2019年)。

＊50 次を参照。Michel Foucault, "Discourse and Truth: The Problematization of Parrhesia," lectures of 1983, available at foucault.info. 次も参照。Kieran Williams, *Václav Havel* (London: Reaktion Books, 2016); Marci Shore, "A Pre-History of Post-Truth, East and West," *Eurozine,* September 1, 2017.〔著者の妻のマーシ・ショアが寄稿した『ユーロジン』はほぼヨーロッパ全域を網羅している報道ネットワーク兼雑誌であり、ウィーンを拠点にしている〕。

＊51 次における議論を参照。Lee McIntyre, *Post-Truth* (Cambridge, Mass.: MIT Press, 2018), 80–118.

＊52 Sheera Frenkel, Ben Decker, and Davey Alba, "How the 'Plandemic' Movie and Its Falsehoods Spread Widely Online," *New York Times,* May 20, 2020; Jane Lytvynenko, "The 'Plandemic' Video Has Exploded Online," Buzzfeed, May 7, 2020.

＊53 Penelope Muse Abernathy〔ペニー・アバナシーとも〕による継続的な発信を参照。www.usnewsdeserts.com. また次も参照。Margaret Sullivan, *Ghosting the News* (New York: Columbia Global Reports, 2020).

＊54 Charles Bethea, "Shrinking Newspapers and the Costs of Environmental Reporting in Coal Country," *New Yorker,* March 26, 2019.

＊55 Katelyn Burns, "The Trump Administration Wants to Use the Coronavirus Pandemic to Push for More Deregulation," Vox, April 21, 2020; Emily Holden, "Trump Dismantles Environmental Protections Under Cover of Coronavirus," *Guardian,* May 11, 2020; Emily Holden, "U.S. Lets Corporations Delay Paying Environmental Fines amid Pandemic," *Guardian,* May 27, 2020. 公害はアフリカ系アメリカ人がCOVID-19のためにきわめて高い率で亡くなってゆく原因の一つに思える。次を参照。Linda Villarosa, " 'A Terrible Price': The Deadly Racial Disparities of Covid-19 in America," *New York Times,* April 29, 2020.

＊56　William C. Becker and David A. Fiellin, "When Epidemics Collide: Coronavirus Disease 2019 (COVID-19) and the Opioid Crisis," *Annals of Internal Medicine,* April 2, 2020.

＊57　一例を挙げると、"Remembering Vermonters Lost to the Coronavirus," VTDigger. 地方自治体がパンデミックが進行中だと理解しても、新聞が無くなっていれば健康についてのガイドラインを知らせるのが難しくなる。

＊58　以下を参照。Snyder, *Road to Unfreedom,* as well as Peter Pomerantsev, *Nothing Is True and Everything Is Possible*（New York: Public Affairs, 2015); and Anne Applebaum, *Twilight of Democracy*（London: Penguin, 2020). 参考するにあたって基準となるものとして次の3作品を。George Orwell's "The Politics of the English Language"（1946), Hannah Arendt's "Truth and Politics"（1967), and Václav Havel's "The Power of the Powerless"（1978).（邦訳はそれぞれ、ティモシー・スナイダー著・池田訳『自由なき世界』、ピーター・ポマランツェフ著・池田訳『プーチンのユートピア』、アン・アップルボームは見当たらず。ジョージ・オーウェルは対訳書が刊行、元々『ザ・ニューヨーカー』誌に掲載されたハンナ・アーレント作品は『過去と未来の間――政治思想への8試論』に所収、ヴァーツラフ・ハヴェル著『力なき者たちの力』)。

第4章　医師たちが現場を仕切るべきだ

＊1　Rivka Galchen, "The Longest Shift," *New Yorker,* April 27, 2020.

＊2　Lovisa Gustafsson, Shanoor Seervai, and David Blumenthal, "The Role of Private Equity in Driving Up Health Care Prices," *Harvard Business Review,* October 29, 2019.

＊3　「トランプの再選活動にかかわる会社」については、Stephen Gandel and Graham Kates, "Phunware, a Data Firm for Trump Campaign, Got Millions in Coronavirus Small Business Help," CBS News, April 23, 2020.

＊4　「オーナーがそれに寄付をした企業」については、Lee Fang, "Small Business Rescue Money Flowing to Major Trump Donors, Disclosures Show," *Intercept,* April 24, 2020.

＊5　Aaron Leibowitz, "Approved for $2M Federal Loan, Fisher Island Now Asking Residents Whether to Accept It," *Miami Herald,* April 23, 2020.

＊6　Pema Levy, "How Health Care Investors Are Helping Run Jared Kushner's Shadow Coronavirus Task Force," *Mother Jones,* April 21, 2020.

＊7　Susan Glasser, "How Did the U.S. End Up with Nurses Wearing Garbage Bags?" *New Yorker,* April 9, 2020.

＊8　Marci Shore, interviewed by Michaela Terenzani, "American Historian: Our

Enormous Wealth Means Little Without a Public Health System," *Slovak Spectator,* April 8, 2020.〔マーシ・ショアが、スロヴァキアの英字紙から受けたインタビューである〕。

＊9 Theresa Brown, "The Reason Hospitals Won't Let Doctors and Nurses Speak Out," *New York Times,* April 21, 2020; Nicholas Kristof, " 'I Do Fear for My Staff,' a Doctor Said. He Lost His Job," *New York Times,* April 1, 2020.

＊10 Patrice A. Harris, "AMA Backs Physician Freedom to Advocate for Patient Interests," April 1, 2020.

＊11 Dan Horn and Terry DeMio, "Health Care Workers in Ohio Are Testing Positive for COVID-19 at an Alarming Rate," *Cincinnati Enquirer,* April 13, 2020.

＊12 「公立病院勤務の皆に愛されていた医師」については、Michael Schwirtz, "A Brooklyn Hospital Mourns the Doctor Who Was 'Our Jay-Z,' " *New York Times,* May 18, 2020.

＊13 「自ら命を絶った緊急救命室の女性医師」については、Ali Watkins et al., "Top E.R. Doctor Who Treated Virus Patients Dies by Suicide," *New York Times,* April 27, 2020.

＊14 最初の8週間で少なく見積もっても9282人の医療従事者が命を落とした。次を参照。CDC, "Characteristics of Health Care Personnel with COVID-19—United States, February 12—April 9," April 17, 2020. 亡くなってゆく医療関係者のランニングリストは、アメリカの医療従事者向けニュースサイトの一つ 'MedPage Today' を参照すること。

＊15 Michael Rothfeld, Jesse Drucker, and William K. Rashbaum, "The Heartbreaking Last Texts of a Hospital Worker on the Front Lines," *New York Times,* April 15, 2020.

＊16 Rebecca Rivas, "Nurse Judy Wilson-Griffin," *St. Louis American,* March 20, 2020.

＊17 *Guardian*'s "Lost on the Frontline" for this and further profiles.

＊18 Tracy Tulley, " 'The Whole Place Is Sick Now': 72 Deaths at a Home for U.S. Veterans," *New York Times,* May 10, 2020.

＊19 同様のことが人工呼吸器についても言えよう。人工呼吸器が足りない理由の一つは、高価で複雑な形状でしか製造されていないからだ。連邦政府が安価でシンプルな人工呼吸器を製造するよう一社と契約を結んだが、その会社はもっと高価な製品をつくる他の会社に買収された。次を参照。Shamel Azmeh, "The Perverse Economics of Ventilators," Project Syndicate, April 16, 2020.

＊20 自然を征服することは、HIV、SARS、MERS、新型コロナウイルスのような動物原性感染症の危険を伴うだけではない。地球上の哺乳動物を実際上少数の種に減らすことは、われわれの食料となる動物のあいだでエピデミックの理想的な条件を生み出すことになる。現在すべての哺乳類のバイ

オマス（生物量）の66%が家畜であり、30%が人間である。ということは、野生動物はひっくるめてもわずか4%に過ぎない。〔ワクチンの開発されていない〕アフリカ豚熱がアメリカ合衆国に入るのは時間の問題である。次を参照。Olivia Rosane, "Humans and Big Ag Livestock Now Account for 96 Percent of Mammal Biomass," EcoWatch, May 28, 2018; Greg Cima, "Guarding Against an Outbreak, Expecting Its Arrival," *JAVMA News,* May 1, 2020.

＊21 Elizabeth Cohen, "10 Ways to Get Your Child the Best Heart Surgeon," CNN, August 4, 2013; Kristen Spyker, "Heterotaxy Syndrome," blog posts, March 11 and April 6, 2012.

＊22 Jerome Groopman, "The Cutting Edge," *New Yorker,* April 20, 2020. また、同じ著者の次の書も参照。*How Doctors Think*（New York: Houghton Mifflin, 2007. とりわけ著者自身の背中の手術を扱った部分。

＊23 Elizabeth Schumacher, "Big Pharma Nixes New Drugs Despite Impending 'Antibiotic Apocalypse,' " *Deutsche Welle,* September 14, 2019; "A Troubling Exit: Drug Company Ends Antibiotics Research," *Star-Tribune,* July 20, 2018.

＊24 Siddhartha Mukherjee, "What the Coronavirus Reveals About American Medicine," *New Yorker,* April 27, 2020.

＊25 Katherine A. Ornstein et al., "Epidemiology of the Homebound Population in the United States," *JAMA Internal Medicine,* July 2015; Tina Rosenberg, "Reviving House Calls by Doctors," *New York Times,* September 27, 2016.

＊26 Isaac Arnsdorf, "Overwhelmed Hospitals Face a New Crisis: Staffing Firms Are Cutting Their Doctors' Hours and Pay," ProPublica, April 3, 2020.

＊27 Franklin to Henry Laurens, February 12, 1784, available online at the National Archives.

＊28 Jack Healy et al., "Coronavirus Was Slow to Spread to Rural America. Not Anymore," *New York Times,* April 8, 2020.

＊29 Suzanne Hirt, "Rural Communities Without a Hospital Struggle to Fight Rising Coronavirus Cases, Deaths," *USA Today,* May 15, 2020.

＊30 Healy et al., "Coronavirus Was Slow."

＊31 K. E. Hauer et al., "Factors Associated with Medical Students' Career Choices Regarding Internal Medicine," *Journal of the American Medical Association,* September 10, 2008, 1154–64.

＊32 Atul Gawande, *Being Mortal*（New York: Macmillan, 2014), 36–48.（アトゥール・ガワンデの邦訳は『死すべき定め――死にゆく人に何ができるか』、2016年）。

＊33 Reed Abelson, "Doctors Without Patients: 'Our Waiting Rooms Are Like Ghost Towns,' " *New York Times,* May 5, 2020.

結　論　私たちの回復

＊1　Elizabeth H. Bradley and Lauren A. Taylor, *The American Health Care Paradox*（New York: Public Affairs, 2013）.

＊2　こうした意外な請求は、病院を買収し、負債でがんじがらめにした後で、未公開株式投資会社が手っ取り早く利益を得ようとする手段の一つである。その結果は、たくさんの人間が医療から閉め出されてしまう。

＊3　Robert Reich, "Covid-19 Pandemic Shines a Light on a New Kind of Class Divide and Its Inequalities," *Guardian,* April 26, 2020.

＊4　Plato, *Republic,* book 8.（プラトン『国家』第8巻。邦訳は複数）次も参照。Raymond Aron, *Dix-huit leçons sur la société industrielle*（Paris: Gallimard, 1962）, 55.（訳書は多いレイモン・アロンであるが、この著作は「そのままのかたちでは」訳者の検索の及ぶところでなかった）。

＊5　Chuck Collins, Omar Ocampo, and Sophia Paslaski, "Billionaire Bonanza," Institute for Policy Studies, April 2020. 次も参照。Chris Roberts, "San Francisco Has 75 Billionaires. Most of Them Aren't Donating to Local COVID-19 Relief," *Curbed,* April 30, 2020.

＊6　Physicians for a National Health Care Program（PNHP）のウェブサイトに掲載されているものを参照のこと。pnhp.org.〔PNHPは、全米的な単一支払者健康保険制度を擁護するアメリカの医療関係者の支持組織である〕。

＊7　Friedrich Hayek, *The Road to Serfdom,* ed. Bruce Caldwell（Chicago: University of Chicago Press, 2017 [1944]）, 207, 215, 148–49.（邦訳は多いが、最新のものはフリードリヒ・ハイエク『隷従への道』、2016年）。

エピローグ　怒りと共感

＊1　国連安全保障理事会でのブリーフィングは録画されている。www.youtube.com/watch?v=Ohljz-a1fZE&t=1191s; I begin at 20:45.

［著者］

ティモシー・スナイダー（Timothy Snyder）

1969年オハイオ州生まれ。イェール大学歴史学部教授。ウィーン高等研究所（IHS）パーマネントフェロウ。オクスフォード大学でPh.D.を取得。専攻は中東欧史、ホロコースト史、近代ナショナリズム研究。15冊の著作は40以上の言語に訳されている。邦訳されている著書として『自由なき世界――フェイクデモクラシーと新たなファシズム』『暴政――20世紀の歴史に学ぶ20のレッスン』『ブラックアース――ホロコーストの歴史と教訓』『赤い大公――ハプスブルク家と東欧の20世紀』（いずれも慶應義塾大学出版会。2020年、2017年、2016年、2014年）、『ブラッドランド』（2015年）、インタビュアーを務めたトニー・ジャットの『20世紀を考える』（2015年）がある。2017年1月に初来日し、慶應義塾大学、東京大学などで講演を行った。冷戦構造の崩壊を学部生時代に経験し、英独仏語だけでなく、スラブ諸語の一次資料をも自在に活用する学風は、ホロコースト論でも新境地を開いたと高く評価されている。ハンナ・アーレント賞をはじめ多彩な受賞歴を誇る。世界に蔓延するポピュリズムや権威主義体制などへの批判をさまざまなメディアを通じて発信しており、アメリカ国内外を問わずきわめて大きな影響力を持つオピニオンリーダーの一人と目されている。

［訳者］

池田年穂（いけだ　としほ）

1950年横浜市生まれ。慶應義塾大学名誉教授。歴史学者。ティモシー・スナイダーの日本における紹介者として、本書のほかに『自由なき世界』『暴政』『ブラックアース』『赤い大公』を翻訳している（2020年、2017年、2016年、2014年）。タナハシ・コーツの紹介者として『僕の大統領は黒人だった』と『世界と僕のあいだに』を翻訳している（2020年、2017年）。他に、パメラ・ロトナー・サカモト『黒い雨に撃たれて』（2020年）、ピーター・ポマランツェフ『プーチンのユートピア』（2018年）など多数の訳書がある（いずれも慶應義塾大学出版会）。

アメリカの病
——パンデミックが暴く自由と連帯の危機

2021年1月25日　初版第1刷発行

著　者————ティモシー・スナイダー
訳　者————池田年穂
発行者————依田俊之
発行所————慶應義塾大学出版会株式会社
〒108-8346　東京都港区三田2-19-30
TEL〔編集部〕03-3451-0931
〔営業部〕03-3451-3584〈ご注文〉
〔　〃　〕03-3451-6926
FAX〔営業部〕03-3451-3122
振替　00190-8-155497
http://www.keio-up.co.jp/
装　丁————耳塚有里
印刷・製本——中央精版印刷株式会社
カバー印刷——株式会社太平印刷社

Printed in Japan ISBN 978-4-7664-2715-8